LES BLACK BLOCS

Francis Dupuis-Déri

LES BLACK BLOCS

QUAND LA LIBERTÉ ET L'ÉGALITÉ
SE MANIFESTENT

Le collectif ÉDAM (Édition et diffusion l'Aide mutuelle) propose dans la collection « Instinct de liberté » des textes susceptibles d'approfondir la réflexion quant à l'avènement d'une société nouvelle sensible aux principes anarchistes et libertaires.

Publié avec le concours du Conseil des Arts du Canada, de la SODEC et du programme de crédit d'impôt du gouvernement du Québec.

Dépôt légal : 1er trimestre 2003
Bibliothèque nationale du Québec
Bibliothèque nationale du Canada
ISBN : 2-922494-93-4

S'il n'y a pas de lutte, il n'y a pas de progrès. Ceux qui prétendent favoriser la liberté mais qui désapprouvent l'agitation, ceux-là veulent des récoltes sans labourer la terre. Ils veulent la pluie sans le tonnerre ni la foudre. Ils veulent l'océan sans son grondement épouvantable. La lutte peut être morale, ou elle peut être physique, ou elle peut être morale et physique à la fois; mais il faut une lutte. Le pouvoir ne concède rien sans des revendications. Il ne l'a jamais fait et il ne le fera jamais.

Frederick Douglass, fils d'une
esclave et militant contre
l'esclavagisme (1818-1895)

PENSER L'ACTION

> *...on ne les voit jamais que lorsqu'on a peur d'eux / Les anarchistes. [...] Faudrait pas oublier qu'ça descend dans la rue / Les anarchistes.*
>
> Léo Ferré, *Les anarchistes*

Au cœur d'un nuage de gaz lacrymogène, des manifestants vêtus et masqués de noir défient des policiers lourdement équipés. Des drapeaux anarchistes flottent au-dessus du tumulte. Ces mises en scène spectaculaires forcent la pensée à s'aventurer en terrain glissant. Le risque est grand, en effet, de déraper sur l'accumulation de clichés et de caricatures d'explications aux répercussions politiques importantes. Le cliché du jeune anarchiste violent, par exemple, sert à la fois l'appétit des média et du spectateur en quête d'images sensationnelles et l'intérêt des policiers toujours heureux de pouvoir brandir la menace d'un ennemi public pour justifier leur violence répressive. Ces clichés n'ont pas épargné une des expression de l'anarchisme contemporain, les Black Blocs, qui entrent régulièrement en action lors des manifestations d'opposition à la mondialisation du capitalisme. Pour réfléchir clairement à l'action directe des Black Blocs et de leurs alliés, autant que pour comprendre les conséquences politiques du débat qui fait rage à leur sujet au sein du mouvement « antimondialisation », encore faut-il s'efforcer de connaître l'origine du phénomène Black Bloc et sa logique interne, même si les motivations de ceux et celles qui y participent sont souvent multiples et complexes, voire contradictoires. Il ne s'agit surtout pas de prétendre ici parler *au nom* des Black Blocs, ce qui est d'ailleurs impensable pour quiconque connaisssant bien ce phénomène. L'ambition est plutôt de fonder la réflexion politique sur une connaissance de la dynamique interne des Black Blocs, d'identifier des lignes d'affrontement, de dégager des possibilités d'organisations et d'actions politiques et d'en évaluer les avantages et les risques.

D'OÙ VIENNENT LES BLACK BLOCS?

Ce sont des « autonomes » allemands de Berlin-Ouest qui ont eu, les premiers, recours à la tactique du Black Bloc au début des années 1980. Le mouvement autonome – à ne pas confondre avec les mouvements « autonomistes » dont les revendications sont culturelles, voire nationalistes – est issu de l'extrême gauche italienne de la fin des années 1960. Il s'est répandu par la suite partout en Europe, tout particulièrement en Allemagne, au Danemark et en Hollande. Sans toujours s'identifier ouvertement comme anarchistes, les « autonomes » européens fonctionnaient en marge de l'État ainsi que des organisations traditionnelles de gauche, tels les syndicats ou les partis communistes. Ils privilégiaient comme mode d'expression politique les grèves de paiement de loyers, les occupations d'universités, les combats de rue contre les néonazis et les policiers, et la mise sur pied de squats politiques.

Le mouvement des squats, auquel les autonomes ont participé activement, a pris une ampleur exceptionnelle en Europe dans les années 1970. Les squats se comptaient alors par milliers et les squatters par dizaines de milliers. Les squats étaient souvent tout à la fois des lieux d'habitation et des lieux d'animation politique comprenant des centres d'information, des librairies, des cafés, des lieux d'assemblées publiques, des salles de concert et d'exposition pour musiciens et artistes engagés[1]. À l'hiver 1980, les autorités de la ville de Berlin-Ouest ont décidé d'en finir avec ce type de squat. Les policiers ont alors procédé à une série d'expulsions particulièrement musclées.

Il semble que c'est dans ce contexte conflictuel que des manifestants ont eu recours pour la première fois à la tactique du Black Bloc, dont le nom (en allemand: *Schwarze Block*) est attribué à la police allemande. Devant la menace imminente d'une intervention policière brutale, des autonomes de Berlin vêtus et masqués de noir se sont équipés de casques et de boucliers de fabrication artisanale et de divers bâtons et projectiles pour descendre dans la rue affronter les hommes payés et armés par l'État pour les expulser de leur squat. La tactique du Black Bloc a par la suite été reprise par des autonomes lors de manifestations liées aux squats ainsi qu'à l'occasion de rassemblements contre la présence du président américain Ronald Reagan à Berlin en juin 1987, ou contre une réunion dans la même ville de la Banque mondiale et du Fonds monétaire international en septembre 1988[2].

Comment expliquer la reprise de cette tactique d'action militante un peu partout en Occident? Le sociologue Charles Tilly, qui étudie les mouvements sociaux, indique qu'il existe, selon les lieux et les époques, un nombre limité de types d'action collective qui sont connus, jugés efficaces et repris par divers groupes pour défendre et promouvoir leur cause. Il y a quelques siècles, ceux et celles qui voulaient exprimer leurs opinions politiques et contester le pouvoir politique en Europe s'en prenaient directement aux représentants de l'État (collecteurs du fisc, par exemple), ou ridiculisaient ces représentants lors de carnavals annuels. Plus récemment, les contestataires ont érigé des barricades, déclenché des grèves, ou lancé des campagnes nationales d'affichage ou de boycott, ou ont organisé des rassemblements publics ou des concerts avec des artistes célèbres sympathiques à leur cause. Sans qu'elle soit totalement déterminée par les expériences passées, la décision des uns et des autres d'avoir recours à un tel type d'action est influencée par les récits de parents, d'amis, de camarades ou même de héros historiques ou légendaires, par des campagnes d'agitation et de propagande menées par des groupes militants, ou encore par les journaux et autres supports médias (radio, télévision, Internet, film, etc.) qui participent à la diffusion d'un imaginaire politique où certaines actions et pratiques politiques sont valorisées[3].

La tactique du Black Bloc a facilement été diffusée dans le monde de la contre-culture d'extrême gauche grâce à des fanzines, à des groupes de musique punk en tournée et à des contacts personnels entre militants. Aux États-Unis, il semble que la tactique du Black Bloc a été utilisée pour la première fois en 1991, à Washington, D.C., lors d'une manifestation dénonçant la guerre contre l'Irak. Des vitres du bâtiment de la Banque mondiale ont alors volé en éclats. Un Black Bloc a été formé la même année à San Francisco lors des manifestations du *Columbus Day* (la journée en l'« honneur » de Christophe Colomb) pour dénoncer 500 ans de génocide contre les Amérindiens. Dans les années 1990, les militants du mouvement nord-américain *Anti-Racist Action* (ARA) qui privilégient la confrontation directe contre les néo-nazis et les suprémacistes « blancs » reprendront également cette tactique[4]. Le 24 avril 1999, un Black Bloc composé d'environ 1500 participants a pris part à une manifestation à Philadelphie pour exiger la libération de Mumia Abu-Jamal, un des fondateurs de la branche locale des Black Panthers, accusé et condamné à mort par l'État pour le meurtre d'un policier en 1981. À la fin du XXe siècle, la tactique du Black Bloc sera adoptée par des militants actifs au sein du mouvement d'opposition à la mondialisation du capitalisme. Le 30 novembre 1999, à Seattle, un Black Bloc participe aux manifestations contre l'Organisation mondiale du commerce et se distingue en attaquant des commerces et des banques dans le quartier des affaires. Cette « bataille de Seattle » devient un moment important en raison de la couverture médiatique dont elle bénéficie : un peu partout en Occident, des images sont diffusées de manifestants qui adoptent une tactique ayant des caractéristiques spécifiques (vêtements noirs, visages masqués, frappes symboliques contre des cibles économico-politiques) dans un cadre précis (une manifestation de protestation contre un événement officiel). Fascinés par ces images et convaincus du succès de cette tactique, plusieurs vont s'identifier à ces manifestants et se dire que, à la première occasion, ils formeront eux aussi un Black Bloc.

Ceux et celles qui participent aux Black Blocs ne sont pas pour autant des moutons noirs portés sans réfléchir sur l'imitation. Bien au contraire. La tactique du Black Bloc vient dans les fait ajouter une tactique supplémentaire au répertoire d'actions politiques qui existait avant les manifestations de Berlin et de Seattle. Selon l'expérience et l'évaluation des uns et des autres, certains opteront pour cette tactique, d'autres non. Certains participants aux Black Blocs s'y laissent sans doute entraîner par leurs amis et camarades par esprit de conformisme, mais personne ne peut forcer un individu à adopter cette tactique qui se veut respectueuse de l'autonomie de ceux et celles qui y participent. Des processus de diffusion et d'imitation des tactiques existent aussi dans le camp adverse : les corps policiers dépêchent régulièrement des observateurs dans les villes qui accueillent des Sommets afin d'analyser les tactiques d'intervention et de répression de leurs collègues et de copier ou non ces pratiques en fonction de leur efficacité. Contrairement aux Black Blocs, toutefois, ce sont quelques gradés qui choisissent les tactiques policières et la masse des subordonnés ne fait qu'obéir.

Bas les masques

Selon un mythe largement répendu, il n'y aurait qu'*un* Black Bloc, véritable organisation permanente aux multiples ramifications internationales. La réalité des Black Blocs est en fait aussi mouvante qu'éphémère. Ainsi, il existe *des* Black Blocs qui sont autant de regroupements ponctuels d'individus pour le temps d'une manifestation. L'expression « Black Bloc » désigne donc une forme d'action collective, une tactique, qui permet de rendre visible la présence, au sein d'une manifestation, d'une critique radicale du système économique et politique plutôt qu'un corps social constitué et organisé en permanence. En ce sens, un Black Bloc est un vaste drapeau noir tissé de corps et qui flotte au cœur d'une manifestation. La tactique du Black Bloc permet de plus de résister plus efficacement à une charge policière et de lancer des frappes contre des cibles symboliques (McDonald's, succursales de banque, etc.) sans être immédiatement identifié et arrêté par les policiers qui filment toutes les manifestations et réquisitionnent les images prises par les médias pour identifier les « casseurs », les arrêter et les accuser. « Le noir permet de frapper et de se replier dans le Black Bloc, où l'on n'est toujours qu'un parmi tant d'autres », dira ainsi un individu ayant participé à plusieurs Black Blocs, dont celui du Sommet des Amériques à Québec, en avril 2001. Selon le contexte, précise-t-il, ceux et celles qui mènent des actions directes peuvent aussi choisir « de se disperser, de changer de vêtements et de s'éloigner pour disparaître incognito dans la foule[5] ».

Il est difficile d'évaluer avec exactitude le profil sociologique des participants aux Black

Blocs. Il semble qu'ils soient plutôt jeunes (autour de la vingtaine, avec des écarts qui vont de 55 à 15 ans) et souvent aux études. Plusieurs ont une expérience militante dans des journaux radicaux, par exemple, et dans des groupes de lutte contre le racisme, contre la brutalité policière ou pour les sans-emploi. De nombreuses femmes participent à l'organisation des Black Blocs (environ 20% dans le cas du Sommet de Québec) et se joignent à l'action directe (environ 10%)[6]. Quiconque est vêtu de noir peut en principe se présenter à une manifestation et se joindre au contingent noir, mais un Black Bloc est d'abord un regroupement de plusieurs « groupes d'affinité ». Ce mode d'organisation provient de la tradition anarchiste espagnole. Dès sa fondation en 1927, la Fédération anarchiste ibérique (FAI) fonctionnait par *grupos de afinidad*. Ce principe a depuis lors été repris par divers mouvements politiques – pacifistes, féministes, etc. – et se retrouve encore chez les anarchistes contemporains, comme ceux et celles du groupe Émile-Henry de la ville de Québec, lequel se présente sur son site Internet comme « un groupe d'affinité anarchiste[7] ». Un groupe d'affinité est généralement composé d'une demi-douzaine à quelques dizaines de membres. L'affinité entre les membres s'explique par les liens qui les unissent : ce sont des amis, des camarades d'étude, de travail ou de groupes politiques. Ils partagent une *sensibilité* à l'égard des types d'action qu'ils entendent mener, de la façon de les mener ainsi que des modalités d'interaction qu'ils désirent maintenir entre eux. Les groupes d'affinité ne se retrouvent pas seulement dans les Black Blocs ni uniquement dans des manifestations : certains se consacrent à l'éducation politique, à la production et à la diffusion d'information et de propagande, à la réalisation de graffiti, à la dégradation d'affiches publicitaires de type commercial et à l'organisation d'actions de désobéissance civile.

Un Black Bloc, tout comme les groupes d'affinité qui le composent, fonctionne sur un mode égalitaire et libertaire sans poste d'autorité ni hiérarchie. S'il n'y a pas de « chef », comme dans tout groupe anarchiste, qui distribue les rôles à chacun et impose les objectifs collectifs, cela ne signifie pas pour autant qu'il n'y a pas de principes organisateurs qui sous-tendent l'action commune. Les réunions fonctionnent sur le mode de la démocratie directe : la recherche du consensus y est privilégiée et le recours au vote plutôt rare. Lors des réunions, la parole est souvent distribuée en alternance aux hommes et aux femmes, une procédure qui permet de contrer partiellement la réalité sociopsychologique selon laquelle les hommes s'expriment et s'affirment *généralement* avec plus de facilité en public, ce qui leur confère *de facto* plus de pouvoir dans un processus délibératif[8]. Dans tous les cas, c'est par respect pour la liberté et l'égalité que les Black Blocs adoptent de telles procédures organisationnelles. C'est au cours d'un processus délibératif que les membres discutent des risques qu'ils entendent prendre et qu'ils décident du type d'action qu'ils désirent mener. Certains groupes opteront pour des actions offensives. Ils s'équiperont alors de bâtons, frondes, boules de billard, cocktails Molotov, etc. Pour des actions défensives, ils choisiront plutôt des boucliers, plastrons, gants, jambières, casques, masques à gaz, etc. D'autres militants se spécialiseront dans les actions de soutien : ils effectueront des opérations de reconnaissance et de communication (vélos, walkie-talkies ou téléphones cellulaires) ; constitueront un corps d'infirmiers volontaires (pour soulager les victimes du gaz lacrymogène et du poivre de Cayenne, et pour administrer les premiers soins aux blessés) ; ou se donneront comme tâche d'entretenir le moral des troupes en jouant de la musique.

Les Black Blocs se constituent souvent au moment même de la manifestation, lorsque les divers groupes d'affinité en présence se reconnaissent et s'unissent. Il est toutefois possible que divers groupes d'affinité voulant former un Black Bloc se rencontrent quelques jours avant une manifestation pour planifier et coordonner leur action. Lors d'événements très importants, des groupes d'affinité peuvent même tenir des réunions de coordination plusieurs mois à l'avance. En prévision du Sommet des Amériques à Québec en avril 2001, le processus de coordination des Black Blocs de la région de Montréal avait ainsi débuté dès l'année précédente.

Les Black Blocs n'ont pas toujours recours à la force. Ils manifesteront sans violence, par exemple, pour les droits des femmes à Washington, le 22 avril 2001, et contre le sommet du G8 à Calgary et à Ottawa, en juin 2002. Mais l'éventualité de la violence est toujours possible au sein d'un Black Bloc, ce qui crée une tension permanente chez ses participants aussi bien que chez les citoyens payés et armés par l'État pour les contrôler.

Mais pourquoi lancer des frappes contre des magasins de firmes multinationales, des succursales de banques, des centres de conférence où sont réunis des décideurs officiels et les policiers employés pour les protéger ? Pour ses détracteurs, le phénomène des Black Blocs s'explique facilement par une poussée d'hormones juvéniles ou par une idéologie anarchiste qu'ils réduisent à un hymne au chaos. Or, pour les anarchistes, le capitalisme est un système fondamentalement illégitime puisqu'il repose sur le principe inégalitaire d'une division hiérarchique entre ceux et celles qui dirigent la production économique et ceux et celles qui produisent les biens. Les investisseurs et les propriétaires gèrent seuls la production et les profits, alors que les travailleurs sont leurs subordonnés et doivent se soumettre à leurs décisions ou démissionner pour se trouver un nouvel emploi où ils seront à nouveau soumis à la volonté de supérieurs hiérarchiques. Le capitalisme repose de plus sur les principes du droit à la propriété privée et de la recherche d'un profit illimité au détriment des besoins essentiels des laissés-pour-compte.

Pour les anarchistes, le seul système économique légitime est celui qui a comme objet premier d'assurer à chacun la satisfaction de ses besoins fondamentaux et qui permet aux producteurs de participer directement aux décisions concernant l'organisation du travail, de la production et de la répartition des profits éventuels[9]. Ainsi les membres d'un Black Bloc considèrent le capitalisme comme infiniment plus violent et destructeur que ne peut l'être n'importe laquelle de leurs actions directes. Il est vrai que, dans plusieurs pays, les partisans du capitalisme n'hésitent pas à aller jusqu'à menacer et à tuer des travailleurs qui cherchent à défendre leurs droits et leur dignité. De nombreux travailleurs sont blessés ou meurent à la tâche dans ce cadre écnomique où la recherche de profit est plus importante pour les propriétaires que la mise en place d'un environnement de travail sécuritaire. Ce qui est vrai à petite échelle est aussi vrai à grande échelle : les propriétaires préfèrent engranger des profits au lieu de se préoccuper du système écologique, même si l'effet de la pollution est aujourd'hui désastreux. Devant cette violence du système, les manifestants se sentent le devoir de contester, de résister. « Nous prétendons que la destruction de la propriété n'est pas une action violente à moins qu'elle ne détruise des vies ou provoque des souffrances. D'après cette définition, la propriété privée – particulièrement celle des entreprises multinationales privées – est en elle-même infiniment plus violente que n'importe quelle action menée contre elle », déclarent ainsi des participants au Black Bloc de Seattle dans leur communiqué[10].

Pour un Black Block, les politiciens et les policiers qui participent aux grands sommets économiques sont tout autant illégitimes que violents. Illégitimes, car l'État libéral et l'autorité des politiciens reposent sur l'illusion que la volonté politique du peuple peut être *représentée*. Or, un individu ou un groupe d'individus ne peut représenter la volonté et les intérêts d'un ensemble sans qu'il y ait une distorsion importante qui avantage le représentant plutôt que le représenté. La représentation de la souveraineté populaire est au mieux une fiction innocente, au pire un mensonge conscient qui vient justifier par un discours ésotérique le pouvoir d'une aristocratie élue qui se prétend démocratique. Du simple fait qu'ils occupent une position d'autorité, les politiciens élus ont des intérêts personnels qui ne concordent pas avec ceux de la population qu'ils prétendent représenter.

Les policiers comme les politiciens sont violents dans la mesure où n'importe quel État libéral repose ultimement sur la violence : police, prison, armée. Le monopole de la violence légale : voilà bien les fondations de toute autorité politique étatique. À cet égard, les grands sommets économiques incarnent parfaitement l'illégitimité et la violence de l'État: une clique de politiciens discutent à huis clos du sort de la planète, protégés par des milliers de policiers lourdement armés qui repoussent violemment des citoyens venus dire que le processus politique de prise de décision qui affecte tout le monde n'est pas démocratique. « Je suis un pacifiste, un non-violent, c'est-à-dire que je rêve d'un monde sans violence », explique un participant aux Black Blocs de Québec, avant d'ajouter: « Mais le monde dans lequel je vis actuellement est violent et non pacifiste, et je considère donc qu'il est légitime pour moi d'utiliser la force pour ne pas laisser le monopole de la violence à l'État et parce que la simple désobéissance civile pacifiste ne fait qu'établir un rapport de force de victime, puisque vous laissez les policiers vous charger, vous arrêter, vous ficher ». Il conclut de façon surprenante que si « [l]'État n'a pas le choix d'utiliser la violence, l'État ne nous laisse pas le choix d'utiliser nous aussi la violence contre lui. C'est l'État par ce qu'il est qui a créé le Black Bloc[11] ».

Les Black Blocs ont donc parfois recours à la force pour des raisons économiques et politiques, même si fracasser la vitrine d'un McDonald's ne mine objectivement ni les fondements du capitalisme ni l'État, et même si la violence des uns ne rend pas automatiquement légitime celle des autres. De très nombreux militants contestent d'ailleurs la violence du système par des actions directes non violentes : des groupes d'affinité confectionneront plutôt des marionnettes géantes ou organiseront du théâtre de rue comprenant des mises en scène et des chansons pour dénoncer et ridiculiser le pouvoir de l'État et du Capital. Ainsi, lors des conventions des deux grands partis politiques américains en prévision des élections présidentielles de 2000, les participants du groupe Milliardaires pour Bush et Gore s'étaient déguisés en tenue de gala et distribuaient de faux billets aux policiers pour les remercier de réprimer la dissidence. Le Bloc des Clowns anarchistes révolutionnaires, juchés sur de hauts vélos, avaient, quant à eux, semé la confusion chez les policiers en attaquant (avec mollesse !) les Milliardaires pour Bush et Gore... Les participants et participantes aux Blocs roses à Prague, en septembre 2000, en marge de la réunion de la Banque mondiale et du Fonds monétaire internationale, puis dans d'autres manifestations, n'hésiteront pas à attaquer les policiers avec de longues plumes ou des pistolets à eau. Quant à elles, les Meneuses de claques révolutionnaires et les Grands-Mères en colère ont recours aux chants contestataires pour exprimer leur critique du système[12]. Plusieurs militants et groupes d'affinité, enfin, pratiquent la désobéissance civile non violente.

VIOLENCE OU NON-VIOLENCE?

Il est très difficile de savoir laquelle des deux approches – violente ou non violente –

est la plus efficace sur le plan politique. Dans ce contexte, les exemples classiques du Mahatma Gandhi et de Martin Luther King sont éclairants. Ces partisans célèbres de l'action directe non violente, à qui l'histoire officielle attribue une grande sagesse politique et morale, sont souvent présentés comme ayant lutté seuls, alors qu'ils étaient engagés dans un vaste mouvement auquel participaient aussi des acteurs politiques qui avaient recours à la violence. Les militants non violents seraient-ils parvenus à chasser seuls, sans la violence de leurs alliés, les colonisateurs britanniques de l'Inde dans le cas de Gandhi ou à briser la ségrégation raciale aux États-Unis dans le cas de King?[13] L'exemple du mouvement féministe est également révélateur. Malgré une tendance très prononcée pour l'action non violente (manifestations et rassemblements publics, graffitis, blocages passifs des entrées des édifices publics, etc.), certaines féministes du début du XXe siècle ont eu recours à la force lors d'actions directes, telles que l'incendie de boîtes aux lettres et d'églises, et le saccage de vitrines de magasins. Il est fort possible que la pression exercée par les actions violentes a encouragé les autorités politiques à entrer en dialogue avec les non-violents et à accepter des concessions pour calmer le jeu, isoler et neutraliser plus facilement ceux et celles ayant recours à la violence. La force a donc *aussi* contribué à l'avancée du mouvement pour l'indépendance de l'Inde, pour la fin de la ségrégation raciale aux États-Unis ou pour l'émancipation des femmes en Occident.

Cette tension entre les tactiques violentes et non violentes est d'autant plus inévitable qu'il est très difficile de s'entendre sur des critères permettant de calculer l'efficacité d'une manifestation ou d'un mouvement politique. Comment savoir ce qui constitue une manifestation réussie ? S'agit-il de se faire voir et entendre par les dirigeants politiques, par les gens dans la rue, par les médias ? S'agit-il de provoquer une certaine dose de perturbation en bloquant le fonctionnement politique ou économique de la ville ou du pays ? S'agit-il, même si cela semble désespérant, d'être arrêté ou même brutalisé par les policiers – c'était ce que cherchaient parfois Gandhi et ses partisans – pour révéler la face sombre de l'État de « droit » ? Quant aux objectifs d'un mouvement social, comment les définir ? Si l'on prend l'exemple du mouvement contre la mondialisation du capitalisme, s'agit-il d'abattre le capitalisme ou de le réformer ? S'il faut simplement réformer le capitalisme, les gestes posés par les Black Blocs et leurs alliés nuiront-ils aux non-violents qui exigent des réformes ou exerceront-ils par leur caractère sensationnel une telle pression sur les décideurs politiques officiels qu'ils accéléreront la mise en place de réformes ? Au-delà de cette visée réformiste, l'action directe violente permet-elle, dans certains cas, d'insuffler chez les défavorisés un sentiment de confiance nécessaire pour qu'ils se mobilisent et s'organisent à leur tour ? Si l'on sait que l'huile attise le feu et que l'eau l'éteint, l'expérience et la « science » politiques ne peuvent indiquer avec précision si en tout temps l'action directe non violente est plus ou moins efficace que l'action directe violente[14].

Un individu riche d'une longue expérience militante et ayant participé à des Black Blocs révèle un fait important à leur sujet : « tous ceux et celles que je connais et qui participaient à des Black Blocs sont des militants, souvent de longue date. Ils sont en quelque sorte désillusionnés car ils sont arrivés à la conclusion que les moyens pacifistes sont trop limités et qu'ils font le jeu du pouvoir. Ils décident alors d'utiliser la violence pour ne plus être victime[15]. » Le recours à la force des Black Blocs s'inscrit donc pour nombre de participants dans une réflexion politique qui s'inspire d'expériences passées où des actions non-violentes ont été tentées mais qui sont maintenant jugées au mieux insuffisantes, au pire inefficaces. Pour les Black Blocs et leurs alliés, les actions non violentes ne suffisent plus pour se faire entendre sur la scène politique et il y a urgence, devant l'étendue du pouvoir des capitalistes, de dire violemment «*ya basta!*», « ça suffit ! »[16].

Pour les Black Blocs, l'usage de la force permet d'exprimer une désapprobation radicale à l'égard d'un système injuste, de purger la colère et la frustration que provoque ce système, de faire voir aux spectateurs que ni la propriété privée ni l'État que représentent les policiers ne sont sacrés, de signifier aux plus défavorisés du système que l'on est prêt à mettre son corps en jeu pour exprimer sa solidarité envers eux. Mais les Black Blocs pensent leur recours à la force en respectant l'autonomie de pensée et la liberté individuelle, sur lesquelles se fonde leur processus de prise de décision collective égalitaire et délibérative. Ce qui explique d'ailleurs que les Black Blocs ne visent pas toujours des cibles similaires et qu'ils n'ont pas toujours recours à la force dans leur action. À Seattle, en décembre 1999, dans le cadre de manifestations contre l'Organisation mondiale du commerce, ils ont lancé des frappes contre des cibles symbolisant le capitalisme; à Washington, D.C., en avril 2000, lors de manifestations contre le Fonds monétaire international et la Banque mondiale, ils ont concentré leurs énergies à protéger les manifestants non violents des attaques de la police; à Québec, en avril 2001, en marge de négociations portant sur un projet de zone de libre-échange économique panaméricaine, ils s'en sont pris surtout au périmètre de sécurité que les policiers avaient érigé; à Gênes, en juin 2001, lors d'un sommet du G8, ils ont principalement attaqué des cibles symbolisant le capitalisme plutôt que de s'approcher du périmètre de sécurité. Ils adaptent donc leurs tactiques au contexte et admettent que, selon la sensibilité, la logique et l'expérience politiques de chacun, tous peuvent avoir le loisir d'exprimer leurs convictions politiques par les moyens qu'ils jugeront appropriés[17]. « Je n'ai jamais obligé quelqu'un à lancer quelque chose, je suis pour la diversité des tactiques et il y a des membres de Black Blocs qui ne veulent pas avoir recours à la force et qui se regroupent, par exemple, au sein des groupes d'affinité d'infirmiers volontaires », dira ainsi un participant aux Black Blocs[18].

À quelques exceptions près[19], les Black Blocs et leurs alliés ne pensent plus, comme bien des militants de la génération précédente, que le grand soir est au bout de la rue[20]. « On est dans une période [où] il n'y a aucune possibilité de faire une révolution », soupire une femme qui a participé à plusieurs Black Blocs, avant de préciser: « On fait ce qu'on peut pour radicaliser le débat et toucher les gens pour qu'il y ait une prise de conscience plus radicale[21] ». Les actions directes sont aussi conçues comme des escarmouches qui permettent à ceux et celles qui y participent d'envoyer un message sur la scène publique et de se sentir plus forts, plus libres, de sortir de la passivité citoyenne qu'encourage le libéralisme et de devenir des *acteurs* politiques. Ces escarmouches sont autant de *micro*révolutions par lesquelles les manifestants libèrent, au péril de leur corps, l'espace (la rue) et le temps (quelques heures) nécessaires pour vivre momentanément une expérience politique forte en dehors des normes établies par l'État.

Moins prétentieux qu'un appel à la révolution globale, l'action directe change néanmoins la façon de penser le rapport à la ville, à la propriété et à la politique. Ces actes sont aussi des messages envoyés à la fois aux autorités officielles et aux réformistes, qui signifient qu'il existe des citoyens qui s'opposent de façon radicale à la manière dont fonctionnent actuellement la politique et l'économie. L'existence des Black Blocs et de leurs alliés, ainsi que leurs actions, provoquent des ondes de choc dans le champ politique, obligeant les acteurs politiques officiels et réformistes à se (re)positionner, suscitant des débats, des luttes et changements d'alliances, de stratégies et de directions qui peuvent transformer la donne économique et politique, forcer la négociation, appeler des *réformes*. Paradoxale, l'idée de réformes provoquées par l'action des radicaux? Réalité, plutôt, dans un contexte qui n'est pas révolutionnaire et où ces radicaux sont en quelque sorte les veilleurs qui guettent l'arrivée d'un nouveau monde mais qui, en attendant, jouent des coudes dans le monde actuel pour dégager plus d'espace de liberté, d'égalité et de justice. Cette perspective peut être frustrante pour ces radicaux qui ne contrôleront pas l'effet de leur action politique et des réformes qu'elle implique. Mais n'est-ce pas le lot de tout acteur politique dans un monde complexe?[22]

La tactique des Black Blocs comporte de nombreux avantages, mais elle est aussi minée par un certain nombre de faiblesses importantes. Il y a d'abord le risque de la dérive politique, puisqu'on a tendance, dans les milieux d'extrême gauche, à constituer une orthodoxie « radicale » qui confère aux membres ayant accumulé des faits d'armes une aura de « pureté ». Ainsi considérés, les Black Blocs seraient autant de lieux où l'on entre comme en religion, avec une volonté d'afficher et d'affirmer une identité politique qui serait pure en autant qu'elle se limiterait à certains actes ritualisés, tels que des affrontements spectaculaires avec la police, affrontements qui seraient valorisés en soi, indépendamment de leurs impacts politiques. L'action directe violente devient alors un moyen pour le militant d'affirmer son identité politique aux yeux des autres militants ; la tentation est forte dès lors de considérer avec mépris et d'exclure ceux et celles pour qui radicalisme ne rime pas avec violence. Une participante à plusieurs Black Blocs indique ainsi qu'»au sein du mouvement anarchiste, il y a un prestige à être sur la ligne de front, à participer à la confrontation, à briser des vitres. Je trouve cela dommage, parce qu'il y a baucoup d'autres personnes qui font plein d'autres choses qui ont autant d'importance[23] ». Conscient du risque et insistant sur l'importance de ne pas amalgamer radicalisme et violence, un autre participant au Black Bloc de Québec admet quant à lui que « s'il y a un pacifisme dogmatique qui me désole, il y aussi une violence dogmatique qui considère que la violence est le seul et unique moyen de mener la lutte[24]». Un troisième participant aux Black Blocs ajoute enfin qu'il ne faut pas croire que «la manif est un truc politique suprême, ni que la casse signifie nécessairement être radical[25]».

D'un point de vue tactique, les Black Blocs sont aussi victimes de leurs succès spectaculaires. D'un coup est apparu le phénomène du «Black bloc spectateur», c'est-à-dire des manifestants vêtus de noir qui se joignent au Black Bloc mais qui s'éclipsent rapidement dès que la situation se corse. Ceux et celles qui ne rompent pas les rangs se trouvent alors pris au dépourvu. Comme l'indique un communiqué diffusé sur Internet: «Si quelqu'un a le vertige, il est évident que cette personne ne doit pas faire partie d'un groupe d'affinité qui suspend des banderoles du haut d'un immeuble, par exemple. De même, si quelqu'un n'est pas prêt à assumer en cas de besoin au moins une des fonctions que les participants à un Black Bloc s'attendent à voir remplir, ce n'est sans doute pas une bonne idée que cette personne y participe[26]».

Autre conséquence de la popularité des Black Blocs: ils ne bénéficient plus de l'effet de surprise. Cela rend certaines entreprises risquées, tout particulièrement lorsqu'un Black Bloc prend part à une manifestation d'envergure modeste. Les policiers peuvent alors aisément le neutraliser en raison de sa grande visibilité. Cela s'est produit à Ottawa, en novembre 2001, lors de manifestations contre le Fonds monétaire international, la Banque mondiale et le G20, et à New York, en janvier et février 2002, à l'occasion du Forum économique mondial. Les manifestants n'étaient alors que quelques milliers.

Les Black Blocs sont aussi particulièrement vulnérables aux infiltrations policières et aux actions d'agents provocateurs. Le port du masque rend en effet plutôt facile l'inflitration, même si les groupes d'affinité sont relativement imperméables à ce genre d'intrusion, puisque les membres doivent en principe tous bien se connaître. Il est toutefois facile d'imaginer des policiers déguisés et circulant par petits groupes pour arrêter des manifestants par surprise. Des agents provocateurs peuvent aussi poser eux-mêmes des actes illégaux et possiblement violents pour manipuler les vrais manifestants et les médias et justifier des interventions policières plus brutales.

Un débat au sujet de l'infiltration et de la provocation policières a éclaté après les manifestations de Gênes contre le G8. Diverses rumeurs laissaient même entendre qu'il y avait eu alors collusion entre les Black Blocs et les policiers. Certains ont de plus affirmé que les autorités italiennes auraient laissé des membres de groupes d'extrême droite néo-nazis atteindre Gênes par centaines pour y fomenter des troubles afin de discréditer le mouvement et de justifier la répression[27]. Notons que la direction d'ATTAC (Association pour une transaction des taxations financières pour l'aide aux citoyens) a déployé des efforts particuliers pour relayer ces histoires. Susan George, vice-présidente d'ATTAC et également membre du conseil d'administration de Greenpeace, déclairait d'ailleurs que « les Black Block sont *très souvent* infiltrés par la police et par des éléments nazis[28] ». Au sujet des risques d'infiltration et de provocation, un participant aux Black Blocs actifs à Québec pense quant à lui qu'« [i]l ne faut pas être naïf et il faut admettre que c'est possible. Mais des Black Blocs disent que c'est l'inverse qui est vrai : que ce sont les groupes modérés qui sont infiltrés et manipulés par les policiers... »[29].

Comment faire la part du vrai et du faux ? Il est indéniable qu'infiltrations et manipulations policières existent aujourd'hui. Ainsi, 48 heures avant l'ouverture officielle du Sommet des Amériques à Québec en avril 2001, des membres d'un groupe d'affinité nommé Germinal ont été arrêtés dans une voiture privée sur l'autoroute allant de Montréal à Québec. Les policiers ont découvert dans le véhicule du matériel de type défensif et offensif et les militants se sont retrouvés plusieurs semaines en prison. Comment les policiers ont-ils pu identifier des militants dans une voiture roulant parmi tant d'autres sur une voie rapide ? La réponse est simple : deux agents de la Gendarmerie royale du Canada – qui ont d'ailleurs témoigné au procès – avaient infiltré le groupe plusieurs mois auparavant. Infiltration très utile pour les autorités, car elle leur a permis de neutraliser une poignée de militants et elle leur a donné l'occasion de présenter aux médias des « prises de guerre » à la veille même du Sommet de Québec. Cette vaste mise en scène laissait entendre à qui le voulait que les policiers sont particulièrement efficaces. Par ailleurs, elle justifiait à l'avance aux yeux d'une partie de la population des mesures de répression extrêmement coûteuses.

Au-delà de l'infiltration et de la provocation, les policiers n'hésitent pas à simplement tromper l'opinion publique en grossissant artificiellement l'ampleur de l'« arsenal » des Black Blocs et de leurs alliés. Ils stimulent l'hystérie générale à leur égard. En y regardant de près, le spectateur attentif découvre une série d'objets anodins dans ces « prises de guerre » que les policiers présentent aux médias lors de conférences de presse en marge des manifestations : brocheuses et ciseaux (pour l'affichage), crécelles, casseroles, bidons et baguettes (pour la musique), manches de pancartes et de drapeaux, porte-voix et même bouteilles d'eau[30].

Poussant l'audace plus loin encore suite à une manifestation contre une réunion préparatoire des ministres du Travail du G8, le 26 avril 2001 à Montréal, le porte-parole de la police, André Durocher, a brandi devant les médias des bouteilles en *plastique* qu'il prétendait être autant de cocktails Molotov. Or, pour qu'un cocktail Molotov explose en touchant sa cible et enflamme celle-ci, il faut qu'il soit fabriqué à l'aide d'une bouteille en *verre*... Mais de tels « cocktails Durocher » n'ont pas pour objectif de réduire en cendre quoi que ce soit, sinon la vérité[31].

Violence et politique

Les Black Blocs ont si bien su attirer l'attention que les médias, et même d'autres manifestants, semblent souvent croire qu'ils sont les seuls à être organisés dans les manifestations pour lancer des frappes contre des cibles symboliques ou contre les policiers. Rien n'est plus faux. Il y a notamment des Blocs rouges, composés de communistes de diverses tendances, qui s'assemblent autour de drapeaux de la défunte URSS et qui manœuvrent en suivant les ordres de leurs chefs. Il y a aussi des individus, seuls ou en groupes d'affinité, qui désirent exprimer par la force leur opinion politique, mais qui ne sont pas vêtus de noir et ne procèdent par forcément à la manière des Black Blocs. Ainsi, pour protester contre une rencontre des chefs d'État de l'Union européenne à Nice, en décembre 2000, des manifestants s'en prennent à des commerces et à des banques et affrontent la police sans former un Black Bloc. Quant aux manifestations de Québec, en avril 2001, bien peu étaient vêtus de noir parmi ceux et celles qui renversaient une section du périmètre de sécurité, qui relançaient des grenades lacrymogènes aux policiers et qui faisaient le coup de main avec eux. Enfin, ceux et celles qui se présentent aux manifestations avec la ferme intention de s'exprimer pacifiquement peuvent décider de recourir à la force après avoir été témoins ou victimes d'une intervention policière violente. Cet effet de provocation qu'ont les interventions policières a été observé et analysé en de très nombreuses occasions par des sociologues qui étudient la dynamique entre manifestants et policiers. Il semble bien que cela se soit produit à plusieurs reprises ces dernières années[32].

Il n'est toutefois pas surprenant que les anarchistes en général et les Black Blocs en particulier aient parfois recours à la force pour exprimer leurs critiques. En effet, toutes les idéologies politiques et même religieuses ont su encourager et justifier la violence de *leurs* partisans lorsque nécessaire. Les régimes libéraux actuels ont eux-mêmes souvent été établis grâce à une violence qui dépasse de loin l'action directe menée par des militants aujourd'hui. Aux États-Unis, on a assisté à une guerre d'indépendance contre la Grande-Bretagne et à des guerres de conquêtes contre les Amérindiens; à plusieurs révolutions dans le cas de la France ou à des invasions dans le cas de l'Allemagne et du Japon[33]. Une fois instaurée, l'autorité politique libérale cherche à diffuser au sein de *sa* population l'idée que l'État libéral seul – ou plus précisément ceux et celles qui le composent – a le droit d'avoir recours à la violence en politique. L'autorité politique organise des manifestations publiques pour indiquer sa prétention au monopole de la violence lors des grands sommets officiels, par exemple, qui sont l'occasion de déployer des milliers de policiers lourdement équipés et très visibles et de mettre en scène la garde d'honneur, en uniforme de parade et arme au poing, qui accueille les dignitaires étrangers à leur descente d'avion sur l'air des hymnes nationaux qui sont souvent des odes aux valeurs guerrières (avec des références aux « bras qui sait porter l'épée » [Canada]; au « combat périlleux », aux « bombes explosant dans les airs », à la « confusion de la bataille », « au cri de guerre » et au devoir de conquérir [États-Unis]; enfin, au « sang impur » des ennemis qui « abreuve nos sillons », sans oublier le fameux appel « aux armes, citoyens » [France]).

L'histoire des États libéraux modernes est aussi ponctuée de très nombreuses actions directes violentes menées par des individus aujourd'hui considérés comme des héros. Le 16 décembre 1773, alors que l'Amérique du Nord est encore sous le joug de l'empire colonial britannique, des colons américains de Boston se déguisent pour éviter d'être reconnus, se glissent à bord de canots dans les eaux du port, abordent trois navires et balancent à la mer leurs cargaisons de plusieurs tonnes de thé. Ces « casseurs » ont détruit des marchandises pour dénoncer les taxes que la

Grande-Bretagne imposait aux biens importés sur son marché intérieur et l'aide financière qu'elle apportait à la Compagnie des Indes. Il s'agissait donc, en quelque sorte, d'une action directe en faveur du libre-échange. À l'époque, les autorités coloniales britanniques et des patriotes modérés, tel que George Washington, n'y virent que vandalisme et violence illégitime. Les patriotes qui organisèrent ce *Boston Tea Party* sont pourtant perçus comme des héros du mouvement vers l'indépendance des États-Unis d'Amérique. En France, la première révolution a été l'occasion de nombreuses actions directes, la plus connue restant encore la prise par la foule de Paris de la Bastille, le 14 juillet 1789, journée choisie comme fête nationale officielle de la France et célébrée aujourd'hui en grandes pompes par le président de la République et les forces armées.

Des conservateurs peuvent eux aussi avoir recours à l'action directe lorsque les autorités politiques prennent des décisions qui contreviennent à leurs intérêts. Le soir du 25 avril 1849 à Montréal, alors capitale du Canada, l'édifice du Parlement est incendié par une foule en colère qui sabotera également le matériel du service des incendies et s'attaquera au cortège du gouverneur. Cette foule se compose presque exclusivement de membres de l'élite anglo-saxonne de la capitale. Dans les jours qui suivent, elle s'en prend par deux fois à la résidence du premier ministre et met le feu à l'hôtel Cyrus, où l'enquête portant sur l'incendie du parlement a lieu. Ces « casseurs » ont agi ainsi par esprit de fronde contre les parlementaires qui avaient décidé d'indemniser certains Canadiens français victimes de la répression du soulèvement raté des « patriotes » républicains de 1837 et 1838. La colère de cette élite anglo-saxonne montréalaise s'explique d'autant mieux qu'elle était sur les dents depuis quelque années, car le gouvernement britannique menaçait plusieurs d'entre ses membres de faillite en privant les exportations canadiennes de tarifs préférentiels sur les marchés de Grande-Bretagne avec un projet de libre-échange[34].

Quittons l'histoire politique pour la mythologie religieuse : là encore les héros n'hésitent pas à saccager des biens commerciaux. Selon la légende, Jésus aurait ainsi chassé les marchands du Temple de Jérusalem à coups de fouet et jeté au sol l'argent et les biens de pacotille. C'est même suite à cette action que les autorités religieuses juives auraient décidé que Jésus allait trop loin et qu'il méritait la mort[35].

Dans tous ces cas, la contestation ne souffle jamais de façon indistincte ; elle choisit ses cibles en fonction de leur valeur symbolique. Lorsque des « casseurs » américains organisent le *Boston Tea Party* et détruisent des biens commerciaux, c'est une façon pour eux d'entrer en dialogue avec les autorités britanniques coloniales, et c'est, entre autre, pour communiquer avec la couronne que les

« casseurs » français s'en prennent à la prison de la Bastille, le 14 juillet 1789. Ce n'est donc pas d'aujourd'hui que des individus se mobilisent pour lutter, par le biais d'actions directes, pour ou contre le libre-échange économique et pour s'opposer à des choix politiques qu'ils jugent inacceptables, ni que les autorités officielles et leurs propagandistes traitent les contestataires en délinquants criminels plutôt que de réfléchir à leurs motivations sociologiques, économiques et politiques.

Politique de la critique

La manifestation, l'action directe, l'émeute marquent toujours une remise en question de la raison d'État. Plutôt que d'y voir une raison concurrente qui définit la justice, la liberté, l'égalité et la sécurité selon des critères différents des siens, l'État et ses partisans ont tendance à feindre de ne voir dans ces mouvements qu'une émotion irrationnelle[36]. Il est vrai que certains peuvent ressentir une véritable joie dans l'utilisation qu'ils font de la force politique – tout comme de nombreuses personnes éprouvent de vives émotions et de la joie lors d'actions politiques pacifiques – mais cette émotion prend sens en raison du contexte politique et social. Beaucoup de partisans des Black Blocs pensent que la joie qu'ils peuvent ressentir au cœur de l'action est illégitime et qu'elle doit être passée sous silence telle une maladie honteuse. Au contraire, d'autres la revendiquent ouvertement et l'expliquent en termes politiques et sociaux. Pour un jeune adulte d'un quartier défavorisé de Montréal, qui y vit des rapports douloureux avec les policiers, les manifestations dans la ville de Québec, en avril 2001, seront ainsi l'occasion de rétablir un rapport de force qui le fera sortir momentanément de son rôle de victime impuissante. « Je viens de la banlieue et les flics font ce qu'ils veulent toute l'année et ça passe sous silence », dira-t-il, avant d'ajouter que « frapper un flic, ce n'est pas de la violence, c'est de la vengeance[37] ». Cette confession très dure révèle un monde d'injustice et un besoin de réparation de la part des victimes habituelles de la brutalité policière, une idée en phase avec un imaginaire culturel et politique partagé par des individus qui ont participé aux actions directes à Québec. Ils regardent en effet des films comme *La Haine* et *Ma 6-T va crackquer* et ils écoutent les disques de Bérurier Noir, groupe anarcho-punk français des années 1980, dont la chanson *Baston* contient ces vers évocateurs :

> *Ils [les flics] nous arrêtent pour rien,*
> *[...]*
> *Faut pas que les flics s'étonnent,*
> *De se faire casser la tête,*
> *C'est normal quand ils nous cognent*
> *Qu'on éprouve de la haine.*

La sensibilité artistique et l'action directe n'entretiennent pas ici un simple rapport de cause à effet. Ce rapport est avant tout symbolique : les expériences et la conscience politiques de ces individus sont en phase avec ces créations artistiques qui font écho à leur sensibilité et à leur vision du monde. Elles les aident à y voir clair ou confirment leurs certitudes.

À propos des policiers et du système politico-économique, un participant au Black Bloc de Québec, en avril 2001, affirme pour sa part que :

> *l'action directe procure une sorte de jouissance. Je m'explique: la vraie violence, c'est celle de l'oppression de l'État et du capitalisme. Cette oppression est d'ailleurs toujours visible: tous les jours, on passe devant un McDo qui nous rappelle qu'il y a de l'exploitation et certains se font harceler continuellement par les policiers, mais le rapport de force est alors à notre désavantage. Ces situations d'exploitation et d'oppression provoquent des frustrations qui nous poussent à chercher un exutoire que l'on trouve dans la casse*[38].

Cette confidence fait écho à une déclaration signée par un groupe d'affinité ayant participé au Black Bloc de Gênes, en juillet 2001, pour qui c'est en raison de la monotonie de ce monde « que le détruire se doit d'être *jouissif*[39] ». David Graeber, qui signe le texte « The new anarchists » dans *New Left Review*, déclare pour sa part qu'avoir « aidé à renverser le périmètre de sécurité [au Sommet des Amériques à Québec] a certainement été une des expériences les plus enivrantes de ma vie[40] ». Dans leur chanson *Petit agité*, Bérurier Noir souligne aussi le caractère festif de l'émeute :

Marqués par la haine
Les jeunes se déchaînent
On a rien à perdre
Les bagnoles crament
La zone est en flamme
Et la folie gagne
Les gamins rebelles
Brûlent des poubelles
Ce soir c'est la fête.

Ce sentiment de fête n'est pas purement psychologique, il s'enracine dans la politique et surgit dans un contexte social précis. Un groupe d'affinité du Black Bloc de Gênes précise que leur action directe n'est pas uniquement un « défouloir pour violents », puisque les cibles ne sont pas choisies au hasard[41]. Un participant à des Black Blocs dira, dans la même veine : « je crois que c'est une manifestation de frustration », avant d'ajouter que c'est « un défoulement de la part de gens qui ont compris qu'ils ont des intérêts en contradiction avec ceux des institutions qu'ils attaquent[42] ». Une autre participante à de nombreux Black Blocs précise elle aussi que leurs actions sont « ciblées [...] pour montrer qu'on ne veut pas des compagnies et des médias qui font un taux de profit incroyable, qui profitent du libre-échange au détriment de la population » et elle ajoute que « briser une vitre ou attaquer un camion des médias, c'est tenter de montrer que les biens matériels ne sont pas si importants[43] ». Il y a parfois des « dommages collatéraux » lorsque certains s'emportent ou que des individus moins politisés et parfois très saouls détruisent au passage des cibles moins significatives, mais là ne réside pas le sens de l'action directe. Les Black Blocs ne s'en prennent pas à des centres communautaires, à des bibliothèques publiques, aux locaux de comités de femmes ni même à de petits commerçants indépendants : c'est au décor aliénant des grandes entreprises qu'ils s'attaquent. Première cible : les publicités en tant que reflet d'un monde subordonné à la consommation. Au Canada, la publicité envahit même les manuels d'écoliers et les murs des universités. Reste aux citoyens moins fortunés la rue pour s'exprimer publiquement par la mise en scène de leurs propres corps. Parfois, les images de corporation s'en trouvent bousculées au passage, de même que les policiers payés à même les fonds publics pour protéger notamment ce type d'intérêts privés.

L'action directe des Black Blocs et de leurs alliés est pour eux une façon de marquer leur dissidence, de participer à la vieille tradition du droit et du devoir de résistance contre l'autorité illégitime[44]. Pour eux, « ne pas réagir équivaut à légitimer cet état de fait [la mondialisation capitaliste], à en être complice, à être responsable. Si on s'en prend aux policiers, c'est qu'ils sont là pour défendre ces chefs d'État, qu'ils sont leur ultime recours[45]».

Il est certes possible d'être en désaccord avec les analyses et les motivations politiques de ceux et celles qui participent aux Black Blocs exprimées et diffusées sur des sites Internet, dans des fanzines et des revues anarchistes ou résumées en un seul graffiti barbouillé sur un mur (« Le capitalisme ne peut être réformé » ou encore « Police partout, justice nulle part »[46]). Mais cela relève purement et simplement du mensonge que d'affirmer que les Black Blocs et leurs alliés ne participent d'aucune analyse politique. C'est pourtant ce mensonge que reprennent systématiquement les politiciens officiels et plusieurs journalistes des médias de masse: « Je mets à part les casseurs. Ils n'expriment pas une opinion. Ils cherchent la violence et cela n'a rien à voir avec le G8», dira Guy Verhofstadt, premier ministre belge et président en exercice de l'Union européenne, en marge du Sommet du G8 à Gênes en juillet 2001[47]. « Le dialogue est vain avec ceux qui n'ont aucune croyance politique», déclarera dans le même esprit le chancelier allemand Gerhard Schroeder[48]. Un journaliste de l'Agence France-Presse affirmera, quant à lui, que l'objectif des « casseurs » est de « tout détruire » et qu'ils constituent un « véritable cancer du mouvement[49]». Cinq journalistes du magazine français *L'Express* ramassent en quelques lignes tous les clichés au sujet des Black Blocs : « leur discours est en tout cas celui de l'*anarchisme*. Ils prônent le recours à la *violence* contre tout ce qui représente une forme d'organisation étatique »... Cette équipe de *L'Express* continue ainsi d'égrener les stéréotypes en précisant que « de plus en plus de *jeunes* Américains un peu *paumés* » se laissent entraîner par le phénomène des Black Blocs qui participent aux manifestations « moins pour protester et contester que pour casser[50] ».

« Anarchisme », « jeunes paumés », « aucune croyance politique », « violence », « casse », « tout détruire » : caricature d'explication, mais qui a des conséquences politiques réelles puisqu'elle enlève tout crédit à un mouvement qu'on réduit à l'expression d'une force brutale et irrationnelle de la jeunesse.

Des émeutiers qui affrontent le service d'ordre d'États étrangers sont pourtant l'objet de respect et d'une réelle sympathie de la part des politiciens et des journalistes libéraux. Rappelons-nous les scènes de destruction du mur de Berlin : une foule attaquant à coups de masse le mur de la honte. Aucun commentateur n'a cherché à minimiser la portée politique de ces actes violents en laissant entendre que ceux et celles qui s'y adonnaient étaient des jeunes casseurs en quête de sensations fortes et grisés par l'alcool. Dans certains cas, les gouvernements occidentaux et leurs partisans encourageront même des individus à commettre des actions directes violentes contre des régimes ennemis. Sans parler des fameuses milices armées des « combattants de la liberté » des années 1980 – les moudjahidines en Afghanistan et les *contras* au Nicaragua, financés et armés par les États-Unis –, rappelons que la CIA a produit et diffusé un *Manuel du combattant pour la liberté* qui expliquait aux Nicaraguayens opposés au régime socialiste sandiniste des années 1980 comment fabriquer des cocktails Molotov et les lancer contre des postes de police[51].

Comment expliquer ce manque de cohérence qui permet aux politiciens et mêmes aux journalistes d'affirmer, dans le cas des Black Blocs, qu'il s'agit de jeunes irrationnels sans objectif politique alors que les casseurs de la liberté à Berlin ou au Nicaragua menant des actions directes similaires sont des individus rationnels qui défendent de nobles causes politiques et morales ? Seul un préjugé idéologique en faveur du libéralisme et contre l'anarchisme permet d'expliquer ce double langage. Les partisans du régime libéral tirent avantage à étiqueter les Black Blocs et leurs alliés comme des « casseurs », des « barbares », des « anarchistes », quand ils ne les associent pas désormais tout simplement aux « terroristes » d'Oussama Ben Laden. Même l'étiquette « jeunes » permet de ternir l'image des manifestants ayant recours à la force, qui sont systématiquement présentés dans les médias de masse comme étant en majorité jeunes ou même comme étant «*tous* très jeunes[52]». En politique, le sens de l'étiquette «jeune» apparaît problématique puisque le terme est très souvent qualifié de façon péjoratives: «jeunes extrémistes[53]», «jeunes excités[54]» et, surtout, «jeunes vandales[55]». Ce code de l'étiquette permet aux autorités et à leurs propagandistes de présenter comme foncièrement irrationnelles les idéologies rivales à celle de l'État. C'est d'ailleurs l'attitude qu'adoptaient dans les siècles passés les anti-démocrates, dont les fondateurs des États libéraux modernes eux-mêmes, qui se disaient alors «républicains» plutôt que «démocrates». Ils associaient le mot «démocratie» à la jeunesse irrationnelle et violente[56]. John Adams, second président des États-Unis, affirme vers 1800 qu'un «garçon de quinze ans qui n'est pas un démocrate n'est qu'un bon à rien; et il n'est pas mieux celui qui est un démocrate à vingt ans[57]» et souligne ailleurs que la «démocratie [...] est un type de gouvernement arbitraire, tyrannique, sanglant, cruel et intolérable[58]». D'autres politiciens américains influents dénonceront à la même époque les «vices de la démocratie[59]» et la «turbulence et [l]es folies de la démocratie[60]» alors que les républicains français de la fin du XVIIIe siècle identifiaient la démocratie comme étant le «plus grand des fléaux[61]», menant immanquablement au «despotisme» et à l'«anarchie»[62].

Bien sûr, il est possible de considérer que l'idéologie anarchiste n'est pas séduisante et de lui préférer le libéralisme, ou encore de préférer l'action politique non violente à l'action violente, mais cela ne doit pas être une excuse pour éteindre l'esprit et refuser de comprendre les idées et la logique de ceux et celles qui participent aux Black Blocs. Dire que ce sont simplement des jeunes apolitiques et irrationnels relève du mensonge pur et simple. Autre mensonge: les Black Blocs sont également accusés d'être des « terroristes », ce qui, après les attaques du 11 septembre 2001 contre les États-Unis, est une accusation particulièrement lourde et susceptible de nuire gravement à l'accusé. Michelle Malkin, du *Capitalism Magazine*, annonce ainsi que « les marionnettistes anticapitalistes aux têtes creuses et qui lancent des pierres aujourd'hui sont les John Walker Lindhs de demain », en référence à ce jeune américain qui avait joint les rangs des talibans sous le nom d'Abdul Hamid et qui a été capturé par l'armée des États-Unis lors de l'invasion de l'Afghanistan[63]. Cet amalgame doit faire comprendre aux lecteurs qu'il y aurait un lien logique entre l'acte de lancer contre un McDonald's une pierre qui ne tue personne et celui de lancer des avions contre des gratte-ciel de New York, provoquant la mort de milliers d'individus. Même son de cloche au *Figaro Magazine*, où l'éditorialiste Alain-Gérard Slama établit un lien entre l'attaque du 11 septembre 2001 contre les États-Unis et les

Black Blocs : « Il est difficile de ne pas établir une relation entre le coup qui vient d'ébranler la Mecque du capitalisme mondial et le durcissement des mouvements antimondialistes [...] tous adversaires de l'État démocratique libéral. [...] Pour l'instant, les casseurs des Black Blocs d'extrême gauche [...] ne sont que quelques milliers. Il faut être aveugle pour refuser de voir avec quelle vitesse le mal court[64] ». À croire qu'Oussama Ben Laden et le mollah Omar des talibans ont formé un groupe d'affinité et se promènent incognito au sein des Black Blocs, une cagoule noire sur la tête... Or, non seulement les Black Blocs ne partagent pas les valeurs politiques et morales des terroristes islamistes, mais ils n'ont pas non plus leurs moyens de lutte. Seul un raisonnement fallacieux permet de conclure que ceux et celles qui s'en prennent aujourd'hui à des vitrines de McDonald's seraient demain prêts à tuer et à lancer des bombes humaines ou des missiles. Les Black Blocs n'ont jamais tué qui que ce soit, alors que les policiers ont déjà assassiné plusieurs manifestants « antimondialisation ».

« Antimondialisation »

Les Black Blocs sont très souvent présents lors des manifestations contre la mondialisation capitalistes mais ils ne sont pas intrinsèquement liés à ce mouvement, comme l'indique un des membres d'un groupe d'affinité allié aux Black Blocs : « nous sommes anticapitalistes avant d'être contre la mondialisation et nous sommes contre la mondialisation parce que nous sommes anticapitalistes[65]». Ceci dit, en tant qu'espaces politiques, les manifestations contre la mondialisation du capitalisme sont autant d'occasions pour mener des actions directes contre les symboles du capitalisme. Les Black Blocs et leurs alliés ont su s'y attirer certaines sympathies, leur action étant même parfois saluée par des manifestants non violents qui jugent nécessaire que certains aient recours à la force au sein du mouvement contre la mondialisation du capitalisme pour qu'il acquière une visibilité et une dynamique maximales.

Selon Donatella della Porta et Sidney Tarrow, deux analystes des mouvements sociaux qui ont mené avec leurs assistants quelque 800 cents entrevues en marge du Sommet du G8 à Gênes, seulement 41% des manifestants disaient condamner toute forme de violence[66]. À Québec, lors des manifestations contre le projet de zone panaméricaine de libre-échange économique, plusieurs *milliers* d'individus, sans doute incertains à l'idée d'affronter eux-mêmes directement les policiers, accordaient leur appui moral au recours à la force citoyenne en restant massés, malgré un nuage épais de gaz lacrymogène, derrière les centaines de manifestants sur la ligne de front, solidairement unis les uns aux autres et tanguant tous ensemble au gré des charges policières. Pour une manifestante de

Québec qui n'en faisait pas partie, « les Black Blocs ne sont pas des anarchistes violents mal organisés. Ils ont défendu la foule toute la fin de semaine en renvoyant les bombes lacrymogènes aux policiers, en sortant de l'action les manifestants qui suffoquaient et en démantelant des bouts de clôture. Ils ont fait la *job* de bras et on devrait leur rendre hommage »[67].

Le ton est très différent du côté des porte-parole des grands groupes sociaux-démocrates du mouvement d'opposition à la mondialisation du capitalisme qui critiquent ouvertement les Black Blocs et leurs alliés. La condamnation peut être d'inspiration morale, s'ils considèrent illégitime en tout temps le recours à la force pour faire avancer une cause politique. La condamnation peut aussi être d'inspiration stratégique, s'ils considèrent que l'utilisation de la force nuit à la cause. La condamnation peut enfin être d'inspiration égoïste, s'ils considèrent que la violence des autres nuit à l'atteinte de *leurs* objectifs politiques et personnels.

Il faut bien préciser que ces porte-parole critiquent aussi la violence policière et que les Black Blocs à leur tour critiquent très souvent la mollesse des réformistes, les uns et les autres s'accusant donc mutuellement de miner l'efficacité et la crédibilité du mouvement... Il faut aussi souligner que les porte-parole des groupes sociaux-démocrates admettent que les Black Blocs et les autres manifestants ayant recours à l'action directe ont permis au mouvement contre la mondialisation du capitalisme d'obtenir une très grande visibilité médiatique. En France, Susan George explique ainsi que « les médias, américains notamment, n'ont commencé à s'intéresser à ce mouvement que lorsque des *éléments marginaux* ont commis des *violences* contre des propriétés privées »[68]. Le grabuge des Black Blocs et de leurs alliés semble en effet avoir créé une telle onde de choc qu'elle aide les réformistes à « forcer des négociations, ouvrir des débats, se faire enfin entendre », admet Fabien Lefrançois, du groupe français Agir ici. Il souligne toutefois : « C'est vrai, les actions violentes du Black Bloc *nous* ont servi à un moment donné. [...] Mais elles risquent de *nous* desservir à terme[69] ». « *Notre* travail est discrédité » par cette violence, dira, quant à lui, le directeur de la section française de Greenpeace, Bruno Rebelle[70]. Ces commentaires paternalistes révèlent la tension qui existe entre l'élite des groupes sociaux-démocrates et les groupes d'inspiration anarchiste qui ont parfois recours à la force lors de manifestations communes. Le message de l'élite réformiste est limpide : son travail devrait avoir priorité et les radicaux devraient se calmer et rentrer dans les rangs, bien sagement...

Il est pourtant fort possible que ce soit l'éventualité des actions spectaculaires des Black Blocs qui permette au mouvement commun de conserver une haute valeur médiatique aux yeux des journalistes. Plein d'un espoir vicieux de pouvoir croquer des images d'une violence qui leur est si financièrement rentable[71], les médias suivent de beaucoup plus près les manifestations depuis Seattle et ils accordent une plus grande place au discours « antimondialisation ». Je peux témoigner ici à titre personnel, ayant été à plusieurs reprises analyste-commentateur pour le Réseau de l'information (RDI) de la chaîne de télévision Radio-Canada lors de manifestations « antimondialisation ». Des membres de l'équipe – réalisateurs ou journalistes – ont ainsi qualifié de « non-événements » les manifestations contre le Fonds monétaire international, la Banque mondiale et le G20 à Ottawa (novembre 2001) et contre le Forum économique mondial à New York (janvier-février 2002), précisément parce qu'il n'y avait pas eu assez de grabuge pour satisfaire un certain public. Lors du Sommet du G8 à Calgary, à la fin du mois de juin 2002, où il n'y a eu aucune violence, malgré la présence de radicaux et d'un petit Black Bloc, un des réalisateurs de la chaîne me demandait matin et soir si j'anticipais une explosion de violence dans les prochaines heures... Lors des réunions de production, les emplacements des caméras et des véhicules se décidaient, entre autres, en fonction des actions directes possibles. Il s'est donc créé une relation dynamique entre la visibilité médiatique des manifestations « antimondialisation » et les actions directes des Black Blocs et de leurs alliés, et si la violence peut donner une mauvaise image du mouvement ou détourner en partie le message (qui de toute façon resterait pluriel même sans violence), elle attire aussi et surtout les caméras et les micros des médias. Si à partir d'aujourd'hui les Black Blocs et leurs alliés se mettaient à militer sagement au sein d'organisation non gouvernementales réformistes, il est très possible que les médias se lasseraient rapidement des activités bien calmes et bien paisibles.

Les réformistes accusent aussi les Black Blocs et leurs alliés de manquer de respect à l'égard du processus « démocratique ». Chez ATTAC, Susan George – toujours elle – explique qu'« à la dernière minute, arrivent des gens qui n'ont pas participé à la préparation et se mettent à faire *n'importe quoi.* Cette attitude *profondément antidémocratique* met en cause le travail de centaines de groupes ayant prévu un déroulement tout à fait différent pour les forum et les manifestations[72] ». Que ce soit par ignorance ou malhonnêteté intellectuelle, George se trompe : il ne s'agit pas de gens qui viennent faire « n'importe quoi » sans respect pour les procédures démocratiques, mais de militants qui ont parfois participé à la campagne de mobilisation et qui ont un très grand respect pour la « démocratie » qu'ils ne conçoivent toutefois pas dans les mêmes termes qu'elle. En Amérique du Nord, plusieurs Convergences de luttes anticapitalistes ont été fondées à Montréal, New York, Washington, D.C.,

Seattle, Chicago et Calgary dans la foulée du mouvement « antimondialisation ». Leur processus de prise de décision y est hautement démocratique : il n'y a pas de « chefs », les assemblées générales sont ouvertes et souveraines et quiconque y participe peut prendre la parole, émettre des propositions, voter et s'impliquer dans des comités organisationnels. Parce que ces groupes radicaux respectent la « diversité des tactiques », ce sont principalement dans les manifestations qu'ils organisent que l'on retrouve les Black Blocs et d'autres groupes d'affinité dont les membres entendent mener des actions directes impliquant un certain recours à la force. Cette tolérance pour la diversité des tactiques, intolérable pour les porte-parole des groupes réformistes, signifie que les organisateurs des manifestations ne se pensent pas comme des chefs à qui l'on doit obéissance, mais considèrent au contraire que chaque citoyen peut décider selon sa sensibilité, de la façon qui lui convient d'exprimer ses opinions politiques, que ce soit sous la forme du théâtre de rue, des chants et slogans, voire des actions directes (graffitis, frappes contre des cibles symboliques, affrontement avec les policiers). Par respect pour l'autonomie individuelle, ces groupes radicaux n'instaurent pas de service d'ordre pour discipliner ceux et celles qui viennent participer à leurs manifestations.

Les dirigeants du mouvement réformiste ne peuvent permettre une telle égalité et une telle liberté dans *leurs* manifestations. Pourquoi? Dans certains cas, pour des raisons morales, s'ils sont des non-violents dogmatiques qui croient que le recours à la force n'est jamais légitime, ou s'ils sont des non-violents relativistes qui croient que le recours à la force est justifié dans certains cas mais non dans le contexte actuel (surtout si cela nuit à *leurs* visées politiques). Si l'on accepte, comme le propose Susan George, de discuter de cette violence d'un point de vue politique et «[e]n dehors de toute question morale[73]», il faut toutefois bien admettre que les réformistes condamnent la violence des Black Blocs et de leurs alliés parce que c'est ce que l'État attend d'eux. Attention: il ne s'agit pas d'élaborer ici une théorie du complot inconscient selon laquelle les porte-parole réformistes seraient déterminés, sans le savoir, par une structure politique qui les pousse à dénoncer d'une façon mécanique les Black Blocs et leurs alliés. Bien au contraire, cette stratégie de distinction est ouvertement admise par les acteurs politiques eux-mêmes. «Je veux entendre les responsables de tous les mouvements et partis démocratiques, partout dans le monde, prendre leurs distances avec les casseurs», exige ainsi publiquement le premier ministre belge et président de l'Union Européenne, Guy Verhofstadt, suite aux troubles liés au Sommet du G8 à Gênes[74]. Christophe Aguiton d'ATTAC, pourtant plus radical que Susan George et dénonçant la violence des policiers, déclarait, quelques semaines après les manifestations de Gênes, que le bilan du « Forum social » des groupes et associations réformistes « est tout a fait positif. Il a été *légitimé*, en Italie et bien au-delà, *par sa capacité à se démarquer des violences* commises par certains groupes de manifestants[75] ». Les acteur politique associés aux groupes réformistes cherchent donc à asseoir leur *légitimité* en se *démarquant* des actions d'autres groupes militants... Tout un appareil normalisateur encadre d'ailleurs le champ politique officiel à l'aide de politiques gouvernementales, de canaux de communications officiels, de subventions et de critères d'exclusion. La survie financière des porte-parole de divers groupes sociaux et politiques dépend même souvent des subventions gouvernementales, tout autant que le succès éventuel de leurs actions. Cette dépendance encourage les acteurs politiques à se démarquer de groupes qui risquent d'entacher leur respectabilité. Ainsi, en marge du Sommet des Amériques à Québec, Françoise David, porte-parole du Sommet des peuples, événement parallère subventionné par le gouvernement canadien, critiquait certes la répression policière, mais s'en condamnait surtout les actions directes contre cette répression. Elle disait « non à cette violence » qui avait été, selon elle, orchestrée par « un *très petit* groupe »[76]. Les porte-parole du mouvement social-démocrate espèrent en retour de leur dénonciation publique des Black Blocs et de leurs alliés être récompensés politiquement par l'autorité officielle, c'est-à-dire qu'ils comptent être reconnus comme des interlocuteurs légitimes, subventionnés et invités à discuter – voire à négocier – avec les « grands » de ce monde[77].

Ce faisant, ils donnent une image parcellaire et réductrice du mouvement, réduisant son ampleur. Les porte-parole réformistes devraient pourtant accepter que d'autres militants puissent adopter des tactiques qui ne sont pas les leurs. Ces dirigeants réformistes pourraient dire clairement (1) qu'ils privilégient des actions non violentes, mais (2) que les militants ayant recours à des actions violentes participent eux aussi à un mouvement commun qui critique le système et conséquemment, (3) que l'État doit réaliser que le mouvement est vaste et dépasse les seuls réformistes, avec qui l'État a d'autant plus avantage à négocier rapidement pour calmer le jeu. Les actions d'éclat des Black Blocs et de leurs alliés pourraient donc aider les réformistes à faire pression sur l'État et à obtenir des réformes. Les dirigeants des groupes réformistes ont opté pour une autre approche qui les fait mieux paraître aux yeux des dirigeants politiques officiels, au risque de scinder le mouvement et de marginaliser plus encore les radicaux.

Dans la rue, cette volonté des réformistes de se donner une image respectable se traduit par une autodiscipline des manifestations. Certes, la manifestation, même pacifique, évoque l'idée d'une possible guerre civile, d'une révolution, comme le rappelle le philosophe français Yves Michaud, pour qui « dans les pays démocratiques, la manifestation de masse est une forme ritualisée d'affrontement : les adversaires montrent leur nombre avec l'intention de ne pas utiliser la force tout en laissant entendre qu'ils le pourraient[78] ». Les dirigeants réformistes soucieux de leur image de marque entendent bien que cet affrontement, qui existe en puissance, soit toujours reporté[79]. Ils organisent des manifestations tranquilles, demandent un permis de manifester aux autorités, discutent avec elles de l'itinéraire de la marche et encadrent les manifestants par un solide service d'ordre. Comme le note si bien Isabelle Sommier, qui étudie les mouvements sociaux, « les exigences de l'ordre *interne* du défilé » correspondent aux « exigences de l'ordre *public* », puisqu'ils sont « menacés l'un et l'autre par les "éléments perturbateurs", "incontrôlés" ou autres "casseurs" »[80]. Politiciens et porte-parole des militants modérés s'entendent ici comme larrons en foire : « J'en profite pour remercier la FTQ [Fédération des travailleurs du Québec], qui avait ses propres gardes de sécurité », a ainsi déclaré le premier ministre canadien Jean Chrétien[81] suite à la marche des peuples organisée par le Sommet des peuples, en marge du Sommet de Québec, en avril 2001. Cette manifestation, cantonnée à la basse-ville de Québec, s'est déployée en tournant le dos et en s'éloignant du sommet officiel qui se tenait dans la haute-ville. Cela valait bien des félicitations… Ce genre de manifestation, très sécuritaire, peut convenir à certains, mais d'autres se sentent floués par les organisateurs, comme l'indique ce manifestant qui participait à la Marche des peuples à Québec et qui se confie dans une lettre ouverte : « J'ai joué le jeu en participant à la manifestation pacifique [...], j'ai décidé de faire confiance à la contestation non violente et de continuer à suivre le tracé prévu, même s'il nous menait tout droit vers une banlieue déserte. [...] Naïf que j'étais ! Nous avons joué le jeu, mais avons été les seuls à le faire. Les médias ont à peine signalé notre marche »[82].

ÉMEUTES POLICIÈRES

Il ne faut pas feindre l'innocence et se surprendre, lorsque l'on casse des vitrines, ou que l'on lance des projectiles sur des citoyens en uniforme, que ceux-ci ne proposent pas de régler le différend par une partie de dés ou de poker. Après tout, les manifestants transgressent consciemment la loi et prennent même parfois les policiers eux-mêmes pour cibles. Et s'il est des citoyens pour qui la non-violence n'est pas un dogme, ce sont bien les policiers. Plusieurs militants reprochent donc aux Black Blocs d'accroître par leurs actions la brutalité policière contre l'ensemble des manifestants. Les policiers n'ont pourtant pas besoin de Black Blocs pour se déchaîner contre des manifestants. Ils n'hésitent pas dans les faits à bousculer, à blesser et à arrêter des manifestants qui, objectivement, ne représentent aucune menace. À Seattle, les images prises par les militants et par la police indiquent clairement que les graffitis et les frappes contre des commerces et des banques ont commencé environ deux heures *après* que les policiers ont utilisé la force pour disperser les militants non violents qui bloquaient les rues et des entrées de centres de conférences[83]. La psychologie policière peut expliquer cette violence, mais il ne faut pas ici reprocher aux policiers ce que d'autres reprochent aux Black Blocs, soit d'être violents par simple plaisir sadique et irrationnel. Des études ont montré que la violence des policiers s'explique aussi et surtout en termes sociaux et politiques : ils sont portés à la violence contre des individus appartenant à des groupes sociaux ou politiques ayant peu de pouvoir et de crédibilité aux yeux de l'autorité politique officielle. Les policiers seront d'autant plus violents qu'ils ont conscience de faire face à des groupes politiques considérés comme « déviants » et « marginaux » par les représentants de l'État et par les acteurs politiques que celui-ci juge respectables[84]. C'est le cas parfois des ceux et celles qui mènent des actions directes pacifiques, c'est très certainement le cas aussi des Black Blocs et de leurs alliés, qu'ils aient recours à la force ou non.

La réplique des policiers lors des divers sommets et contre-sommets a souvent été d'une violence disproportionnée par rapport aux actions des Black Blocs et de leurs alliés, les policiers sachant que ceux-ci représentent une menace marginale, qu'ils défendent des idées politiques considérées comme « déviantes » et qu'ils n'ont pas d'alliés au sein des forces politiques « respectables ». Résultat : les Black Blocs et leurs alliés ont eu à faire face à de véritables « émeutes policières », pour reprendre l'expression utilisée en 1972 aux États-Unis par la Commission nationale présidentielle d'étude sur les causes et la prévention de la violence, qui désignait ainsi plusieurs assauts de policiers déchaînés à la fin des années 1960[85]. Si l'expression semblera à certains trop polémique, sans doute peut-on s'entendre sur la quincaillerie et la nécrologie. Quincaillerie, d'abord : ces milliers de policiers mobilisés à chaque grande manifestation sont entraînés et bien équipés de casques, de boucliers, d'uniformes rembourrés et ignifuges, de fusils à balles de caoutchouc, de gaz fumigène et lacrymogène, d'armes à feu, de chiens, de chevaux, de véhicules blindés, de canons à eau, d'hélicoptères, de prisons, etc. Ils sont également appuyés par des agents des services secrets et par des unités militaires. Nécrologie, ensuite : ce sont les policiers qui ont tué des manifestants et non l'inverse. À Göteborg, les policiers ont tiré des balles réelles et un manifestant a succombé à ses blessures ; à Gênes, Carlo Giuliani brandissait un extincteur vers un véhicule de la police, ce qui lui valu d'être abattu par un policier d'une balle à la tête tirée à bout portant. Le lendemain, les chefs d'État du G8 prenaient la parole pour dénoncer la violence des... manifestants. Peu de temps auparavant, trois étudiants avaient été tués par les policiers alors qu'ils manifestaient contre la Banque mondiale en Papouasie-Nouvelle-Guinée. L'organisme World Development Movement a mené une étude sur les manifestations organisées dans les pays en voie de développement industriel spécifiquement pour dénoncer les décisions du Fonds monétaire international et de la Banque mondiale. Il constate que les personnes blessées ou arrêtées par des policiers ou des militaires se comptent par centaines et que plus de 10 manifestants ont été tués en 2000, et 76 en 2001[86]. La violence policière n'est pas toujours meurtrière, mais elle est excessivement brutale en comparaison à celle des Black Blocs et de leurs alliés. À Ottawa, en novembre 2001, lors de manifestations calmes contre le Fonds monétaire international, la Banque mondiale et le G20, les policiers ont lâché leurs chiens sur des manifestants[87]. À Montréal, en novembre 2000, les policiers ont chargé à cheval quelques centaines de manifestants protestant contre une réunion du G20. À Québec, en avril 2001, lors du Sommet des Amériques, les policiers ont tiré – parfois à bout portant – des centaines de balles de caoutchouc sur des citoyens qui ne représentaient souvent aucun danger. Les témoignages sont innombrables et concordent, les images de films amateurs ou professionnels aussi[88]. Conséquences : un larynx fracassé et plusieurs os fracturés. Les policiers ont également tiré à bout portant des grenades lacrymogènes qui devraient normalement être tirées vers le haut, en lobe, et ils ont tant utilisé de gaz lacrymogène qu'ils ont dû s'en faire livrer d'urgence des États-Unis. Ils ont envahi le centre de premiers soins des manifestants, forçant l'évacuation des lieux, mais obligeant les infirmiers volontaires à laisser le matériel médical derrière eux. Les policiers ont également procédé à plus de 400 arrestations, arbitraires dans plusieurs cas. Le dimanche matin, par exemple, alors que tout était calme, des camionnettes banalisées patrouillaient les rues et des policiers en descendaient brusquement pour arrêter des passants vêtus de noir. Les policiers savaient qu'ils devaient arrêter en masse pour faire plaisir à une partie de la population, comme l'avait admis Richard Saint-Denis, directeur général adjoint de la Sûreté du Québec peu avant le Sommet. Invité à Nice en décembre 2000 par ses collègues qui assuraient la sécurité du sommet européen, Richard Saint-Denis en était revenu avec la conviction que les Niçois avaient reproché aux policiers de ne pas avoir procédé à suffisamment d'arrestations. Saint-Denis semblait donc en conclure qu'il fallait arrêter en masse afin que la police s'assure une bonne image publique. Les tribunaux jugeront plusieurs mois après de la validité des accusations...[89]

À Gênes, les universitaires Donatella della Porta et Sidney Tarrow, avec l'aide de leur équipe de recherche, ont constaté qu'outre les tirs de balles réelles qui ont entraîné la mort de Giuliani et de balles de caoutchouc, les policiers ont utilisé la technique *caricati con caroselli* consistant à lancer leur véhicule directement dans les manifestations. Lorsqu'ils étaient arrêtés, plusieurs manifestants ont été fouillés à nu, forcés de chanter des chants fascistes et antisémites et on les a empêché de contacter un avocat ou leur consulat, dans le cas des étrangers. Finalement, les policiers ont attaqué le Centre de convergence des militants qui abritait également un dortoir. De tels centres de convergence sont établis dans les villes lorsque se préparent des manifestations « antimondialisation ». On y trouve des calendriers des événements, des informations sur divers enjeux sociaux, économiques et politiques, des adresses et des numéros de téléphone utiles (logements, services légaux, etc.). Des séminaires, des conférences et des assemblées y sont aussi organisés. Les policiers italiens y ont pénétré de nuit, masqués et, avec une rare violence, comme ont pu le constater des députés et des journalistes qui ont visité les lieux le lendemain et ont affirmé y avoir vu des taches de sang[90].

Ironie du sort, les compagnies qui produisent et vendent l'armement antimanifestants font référence à l'efficacité de la répression pour souligner la qualité de leurs produits. Ainsi, le site Internet de la compagnie Police Ordnance, dont l'adresse – <www.policeordnance.com> – est imprimée sur les douilles des balles en caoutchouc tirées par des fusils Arwen à Québec, en avril 2001, s'ouvre sur une sorte d'ode à la répression: « La Gendarmerie royale du Canada et la Sûreté du Québec ont accompli un travail excellent en contenant les quelques centaines de manifestants qui eurent recours à la violence [...]. [L]'utilisation de gaz lacrymogène a dissuadé la plupart de ceux qui voulaient jouer les trouble-fête. Les quelques autres furent facilement ciblés par des balles en caoutchouc bien placées tirées par des ARWEN®37 et des ARWEN®ACE ». L'éloge de leurs produits s'accompagne de félicitations de la part d'observateurs de la firme dépêchés sur le terrain à l'égard du « plus haut niveau de professionnalisme » dont auraient fait preuve les policiers en fonction à Québec[91]. Bref, dans ce monde absurde que dénoncent les manifestants anticapitalistes, leur propre répression sert d'argument de vente pour les armes utilisées pour les réprimer.

En plus de cette violence policière qui explose dans la rue, l'État met en place une mécanique judiciaire et répressive qui rassure une partie de la population que les discours mensonger des uns et des autres à rendue si craintive à l'idée de ces « jeunes » « vandales » « anarchistes » qui ne pensent qu'à « tout détruire », pour reprendre les mots de journalistes et de politiciens. Ainsi, le Service canadien du renseignement de sécurité indiquait avec à propos, dans un rapport rédigé avant le Sommet des Amériques à Québec, en avril 2001 – *L'antimondialisation, un phénomène en pleine expansion* –, qu'on assistait à une certaine montée du phénomène « anarchiste » dans la foulée du mouvement contre la mondialisation néolibérale[92]. Il s'agit là de propos de nature plutôt descriptive, mais le ton change après les attentats du 11 septembre 2001 contre les États-Unis et l'étau légal se ressert autour des anarchistes et autres radicaux lors d'une rencontre du « Groupe "Terrorisme" » du Conseil de l'Union européenne, le 13 février 2002. Selon les fonctionnaires européens, l'État fait face lors des sommets officiels à « une augmentation progressive des actes de violence et de vandalisme criminel commis par des groupes *extrémistes radicaux* et [...] ces actes ont clairement suscité des situations de *terreur* au sein de la société ». Qui parle de « terreur » évoque bien sûr le « terrorisme », mais pour éviter toute ambiguïté, les fonctionnaires précisent explicitement que ces actes seront définis « comme infractions à l'article premier de la décision-cadre relative à la lutte contre le *terrorisme*[93]. »

Entre le bataillon du Black Bloc anarchiste et celui de la police, ce dernier est donc autrement mieux équipé et plus violent que le premier. Et quelle discipline, quelle obéissance faut-il une fois de plus que l'État exige de ses défenseurs salariés ? Chez ces milliers de citoyens en uniforme déployés depuis des années pour protéger des grands sommets où les dirigeants discutent à huis clos des modalités d'expansion du capitalisme, aucun qui n'ait pris la parole publiquement pour exprimer la moindre hésitation, le moindre doute démocratique, pour déclarer qu'il voulait être mis en réserve et qu'il refusait de s'en prendre à ses concitoyens. À répéter que les « casseurs » sont de « jeunes » irrationnels entraînés uniquement par l'envie de « tout casser », des porte-parole de l'État et des groupes sociaux-démocrates et des journalistes alimentent l'hystérie populaire, stimulent la demande publique pour une plus grande violence policière contre ces « vandales », encouragent l'obéissance des policiers, attisent leur mépris à l'égard de ces citoyens vêtus de noir et favorisent la violence répressive.

Dans la rue, le bataillon des Black Blocs et celui des citoyens en uniforme payés par l'État incarnent deux visions du monde, deux conceptions de l'être humain qui s'opposent une fois de plus dans un face à face brutal : à l'extrême gauche, des individus égaux et libres, à l'extrême droite, des individus obéissants et inégaux. Mais le discours public actuel brouille la pensée et travestit la réalité, au point où plusieurs associent les manifestants à la folie et au chaos et les policiers à la liberté et à l'égalité. Et les spectateurs, que ce discours aura si bien su tromper et rendre craintifs, applaudissent de savoir que les partisans de l'autorité et de la hiérarchie, de l'ordre et de la loi, restent encore et toujours maîtres des lieux une fois les contestataires dispersés avec violence.

I

LES BLACK BLOCS PAR EUX-MÊMES

BLACK BLOCS POUR DÉBUTANTS

Rédigé de façon claire et concise, ce court texte a circulé en anglais grâce à divers sites Internet de tendance anarchiste. Il cherche à présenter le phénomène des Black Bloc aux non-initiés. Il offre des réponses aux questions qui viennent spontanément à l'esprit de quelqu'un qui connaît peu le phénomène: «Qu'est-ce qu'un Black Bloc?», «Pourquoi organiser des Black Blocs?», «Pourquoi les Black Blocs attaquent-ils les policiers ou la propriété privée», «Pourquoi sont-ils vêtus de noir?», etc. Ce texte montre très clairement que l'expression Black Bloc désigne non pas une organisation permanente, mais une tactique. Il identifie aussi ouvertement les participants aux Black Blocs à l'anarchisme.

(FDD)

BLACK BLOCS POUR DÉBUTANTS*

Qu'est-ce qu'un Black Bloc?

Un Black Bloc est un regroupement d'anarchistes ou de groupes d'affinité anarchistes organisé en vue de participer à une action de protestation spécifique. La composition et les actions des Black Blocs changent au gré des manifestations, mais leurs buts premiers sont d'assurer une solidarité face à la police répressive de l'État et d'exprimer une critique anarchiste dirigée contre l'objet de la protestation du jour.

Est-ce que le Black Bloc est une organisation?

Le Black Bloc est une TACTIQUE plutôt qu'un groupe ou une organisation. De la même manière qu'il ne peut y avoir un « Groupe Désobéissance Civile », le Black Bloc ne peut être une organisation. Certains sont

*. Source : www.infoshop.org/blackbloc.html (version 3.0 : 31 juillet 2001). Traduction de l'anglais par Francis Dupuis-Déri et Thomas Déri.

sous la fausse impression qu'on peut adhérer à l'« Organisation Black Bloc » mais il n'y a pas de Black Bloc organisé de façon permanente entre les manifestations. Le mouvement anarchiste quant à lui existe toujours et cela depuis plus d'un siècle. On peut penser au Black Bloc comme à un regroupement temporaire d'anarchistes qui se constituent en contingent au cours d'une manifestation. Tout comme la désobéissance civile, le Black Bloc est une tactique.

Pourquoi un Black Bloc?

Il y a plusieurs raisons pour lesquelles *certains* anarchistes organisent un black bloc lors des manifestations. Ces raisons sont : (1) la solidarité : une présence massive d'anarchistes incarne les principes de solidarité de la classe travaillante et offre une protection contre la répression policière ; (2) la visibilité : le Black Bloc constitue un symbole aussi visible qu'une marche de fierté homosexuelle ; (3) les idées : c'est une façon d'exprimer la critique anarchiste envers l'objet de la manifestation du jour ; (4) l'aide mutuelle et l'association libre : offre un exemple visible de la façon dont des groupes d'affinité peuvent se rassembler en un ensemble plus vaste et poursuivre des objectifs communs ; (5) l'escalade : une méthode pour entraîner une manifestation au-delà d'un simple réformisme et d'appels à l'État à remédier aux injustices.

D'où viennent les Black Blocs?

La tactique du Black Bloc est née en Allemagne durant les années 1980. C'est la police qui a inventé l'expression pour désigner les jeunes squatters militants et membres du mouvement Autonome qui les combattaient dans la rue. Le premier Black Bloc en Amérique du Nord fut organisé à l'occasion des manifestations contre la Guerre du Golfe (1991)[97].

Quels seraient des exemples historiques de Black Blocs en Amérique du Nord?

Le Black Bloc ne fut pas inventé à Seattle en 1999. Il y a eu de nombreux Black Blocs lors de manifestations tout au long des années 1990. L'un de splus important fut le Black Bloc lors de la manifestation Millions-pour-Mumia (Philadelphie, 1999), comprenant 1 500 à 2 000 participants. Il s'agissait d'un bon exemple d'un Black Bloc non violent dont l'objectif était à la fois d'exprimer une solidarité à l'égard de Mumia Abu-Jamal et de rappeler aux Gauchistes du mouvement qu'ils ne devaient pas nous prendre pour acquis (en fait, plusieurs articles parus après la manifestation dans la presse de gauche passèrent complètement sous silence la présence anarchiste à Millions-pour-Mumia).

Est-ce que le Black Bloc encourage la violence?

Répétons-le: le Black Bloc est une tactique utilisée lors d'importantes actions de protestation. Les tactiques utilisées par un Black

Bloc sont décidées par ceux et celles qui le forment. Il n'y a pas toujours un accord au sein du black bloc au sujet des tactiques à adopter, mais il y a une tolérance à l'égard de différentes tactiques.

Est-ce que tous les Black Blocs pratiquent la destruction de la propriété?

Cela dépend. Le Black Bloc de Seattle durant les manifestations du 30 novembre contre l'Organisation mondiale du commerce (OMC) fut l'un de ceux qui attira l'attention des Américains sur le Black Bloc. Les participants à ce Black Bloc s'engagèrent dans une variété d'actions, y compris la destruction de la propriété privée. Il ne s'agissait pas de vandalisme irréfléchi et juvénile : c'était motivé par des *raisons politiques.*

Pourquoi les Black Blocs attaquent-ils la police?

Parce qu'elle est dans leur chemin. Même si la plupart des anarchistes s'opposent à la brutalité policière et aspirent à un monde sans police ni prison, nos cibles principales sont les riches et les puissants. La police se retrouve sur la ligne de front lorsque les anarchistes mènent leur guerre de classe contre les riches parce qu'elle représente la face violente du capitalisme, ou en d'autres mots, parce qu'elle est le chien de garde des riches.

Est-ce que quelqu'un doit se vêtir de noir pour être dans un Black Bloc?

Non. Le noir est la couleur de l'anarchisme, ce qui explique que nous parlons de « Black » [Noir] blocs. Plusieurs anarchistes prennent cela tellement au sérieux qu'ils portent du noir. Mais avant d'être une question de mode, se vêtir en noir pendant un Black bloc sert à protéger l'anonymat.

Pourquoi les membres d'un Black Bloc portent-ils des cagoules ou des foulards?

Les anarchistes qui utilisent la tactique du Black Bloc portent des cagoules ou des foulards pour plusieurs raisons. C'est tout d'abord parce que la police filme sur vidéocaméras les militants qui participent à des manifestations pour ses archives « noires » . La police pratique cette surveillance et cette cueillette d'informations pour effrayer les militants modérés et les décourager de s'engager dans des mouvements de protestation et dans la lutte sociale. La police s'adonne à cette pratique même lorsqu'il y a des lois qui l'interdisent. Les cagoules et les foulards assurent donc l'anonymat et l'égalitarisme. Au lieu d'un « chef » hurlant à travers un porte-voix des instructions à un groupe de manifestants, les membres du black bloc prennent les décisions tous ensemble. Les cagoules et les foulards dissimulent aussi l'identité de ceux et de celles qui veulent commettre des actes illégaux et pouvoir s'enfuir pour continuer à combattre le jour suivant. Enfin, comme l'écrivait le sous-commandant Marcos : « Il y a quelques anarchistes des Black

Blocs qui ne portent pas de masques. Ce sont généralement des gens qui sont pour ainsi dire " sortis du placard ". »

Quelles sont les tactiques typiques des Black Blocs?

Les tactiques varient au gré des manifestations et d'un Black Bloc à l'autre. Parmi les tactiques habituelles, on retrouve la « dé-arrestation » et le « bras-dessus-bras-dessous ». La dé-arrestation consiste pour un Black bloc à libérer des gens qui *ne* veulent *pas* être arrêtés. En règle générale, cela fonctionne si vous surpassez en nombre les troupes de la police. Cela fonctionne également parce que la plupart des policiers sont surpris lorsqu'ils constatent que des manifestants et des manifestantes vont tenter de libérer quelqu'un[1]. Le « bras-dessus-bras-dessous » aide un Black bloc à maintenir sa cohésion et rend plus difficile pour la police toute tentative de disperser le bloc. C'est un peu comme la police en formation d'attaque, mais de façon plus fluide et plus organique.

COMMUNIQUÉ AU SUJET DES TACTIQUES ET DE L'ORGANISATION

Véritable petit manuel de combat publié une première fois en décembre 2000, ce Communiqué au sujet des tactiques et de l'organisation est au Black Bloc – en plus modeste bien sûr – ce que sont à une armée d'État les ouvrages L'Art de la guerre *de Sun Tzu et* De la guerre *de Carl von Clausewitz. Les auteurs du communiqué n'hésitent pas à voir grand, puisque leurs conseils organisationnels et tactiques sont pensés en fonction de Blacks Blocs de plusieurs centaines, voire de mille ou même deux milles participants. Le Communiqué discute des opérations de reconnaissance du terrain où se déroulera l'action, des communications, de la mise sur pied et de l'utilisation de forces de réserve, des rapports avec les médias, de l'entraînement physique entre les actions, de l'importance d'une sorte d'unité de commandement – «le noyau de facilitation tactique» – dont les membres sont élus et révocables en tout temps, pour préserver l'esprit anarchiste de l'organisation. Cette idée sera ouvertement critiquée par des membres du groupe anarchiste Black Star North, qui voient là une tentative «de reproduire des structures hiérarchiques et militaristes au sein des Black Blocs»[2]. Les auteurs du Communiqué admettent adopter un «ton militariste», mais ils précisent qu'il ne faut pas voir là une invitation à introduire des structures hiérarchiques d'autorité au sein d'un Black Bloc. En juillet 2001, ils proposent d'ailleurs une nouvelle version légèrement modifiée – reproduite ici – suite à des discussions entre des membres du mouvement Anti-Racist Action (ARA) et d'autres du Green Mountain Anarchist Collective qui signaient la première version. Dans cette seconde mouture, ils tentent de préciser leurs propositions tactiques. Très combatif, le texte fait la promotion de manœuvres sophistiquées adaptées au combat de rue contre les forces de l'État et justifie les frappes contre les symboles de l'État et du capitalisme. Toutefois, les expériences passées d'infiltration policière et certaines confusions quant à l'arrimage des Black Blocs du Québec et ceux de la Cote Est des États-Unis dans le cadre des manifestations contre le Sommet des Amériques laissent penser que cette réflexion tactique restera sans doute lettre morte: il est peu probable que des Black Blocs de plusieurs milliers de participants, s'il s'en forme, parviennent à mettre en pratique de telles tactiques. Mais ce texte demeure tout de même exemplaire d'un esprit anarchiste cherchant à s'incarner dans des pratiques politiques et de modes d'action qui, à défaut d'avoir l'ampleur voulu, reste néanmoins adoptés lors des manifestations contre la mondialisation du capitalisme des récentes années. La conclusion du communiqué, le style même, devient presque apocalyptique et messianique: face à un processus inéluctable de répression étatique toujours plus implacable, les militants devront passer à la clandestinité d'où ils lanceront une attaque contre l'État. Cette offensive ne pourra aboutir, selon les auteurs, qu'à une véritable «révolution sociale».*

(FDD)

COMMUNIQUÉ AU SUJET DES TACTIQUES ET DE L'ORGANISATION*

Au Black Bloc, de l'intérieur du Black Bloc

seconde version[3]
juillet 2001 – de quelque part dans le Mid-West

Avertissement : les propos contenus dans ce document s'appliquent spécifiquement aux particularités du mouvement anarchiste en Amérique du Nord. L'analyse et les propositions tactiques contenues dans ce document ne sauraient conserver toute leur pertinence si elles sont appliquées sans avoir été adaptées au préalable de façon substantielle à des situations particulières de lutte en d'autres régions.

Remarques préliminaires à la seconde version

La présente version est le résultat de très longues discussions entre des membres d'ARA et du G-MAC[4]. À la lumière de ces débats, un

---

*. Source : David & X (du Green Mountain Anarchist Collective) (dirs.), The Black Blocs Papers, Baltimore, Black Clover Press, 2002 (contact : greencollective@chek.com). Traduction de Francis Dupuis-Déri et Thomas Déri.

consensus a été atteint au sujet de certains principes d'organisation révolutionnaire. Des changements importants ont été apportés aux sections portant sur l'utilisation des groupes de réserve, les groupes d'affinité, le noyau de facilitation tactique et d'autres changements d'ordre mineur ont été effectués dans toutes les autres sections. Nous croyons que ces changements renforcent la teneur de nos propositions. Nous sommes prêts, bien sûr, à poursuivre la discussion et à apporter d'autres modifications s'il y a lieu.

En guise d'introduction

Le document qui suit est présenté dans l'intention d'accroître l'efficacité de base de notre mouvement en proposant diverses pratiques tactiques qui, nous l'espérons, seront adoptées par le Black Bloc dans son ensemble. Ce travail est inspiré par notre admiration sans faille envers la capacité et le potentiel créatifs de l'humanité et par notre dévouement sans réserve à la révolution sociale. Certains passages de ce texte sont empreints d'un ton militariste qui ne devrait pas être interprété comme justifiant par la bande des modèles d'organisation arbitraires et hiérarchiques. C'est plutôt la réalité de notre lutte militante qui rend nécessaire le recours à ce type de langage, afin de présenter notre situation et les méthodes que nous devons utiliser pour nous approcher de la victoire de façon objective et le plus précisément possible. Il faut souligner ici que nous ne défendrons jamais la promotion de modèles organisationnels dont l'essence serait incompatible avec ceux adoptés de façon démocratique par les anarchistes et les travailleurs et travailleuses révolutionnaires lors de la Commune de Paris (1871) et de la Guerre civile espagnole (1936-1939). Pour mener à bien la rédaction de ce texte, nous avons réfléchi à nos propres expériences collectives et nous avons étudié l'histoire pour apprendre ce qui peut fonctionner ou non à l'intérieur d'un cadre anarchiste.

Notre intention est de vous présenter une analyse précise, quoique brève, de l'état actuel du mouvement ainsi que les étapes que nous (le Black Bloc) devons franchir afin de faire avancer la cause. Il faut préciser que les propositions qui suivent s'appliquent directement et uniquement au Black Bloc. Par conséquent, toute adaptation de propositions plus militantes (telles celles que l'on retrouve dans la section « Préparations en vue d'une répression accrue de l'État ») à l'ensemble du mouvement anarchiste entraînerait un affaiblissement des efforts si importants accomplis pour structurer la communauté de base. Nous considérons ces efforts comme essentiels pour la cause en général, puisque c'est grâce à eux que nous pouvons gagner consciemment la vaste population à la gauche anarchiste. Notre lutte doit être menée sur tous les fronts.

Finalement, nous vous encourageons à lire ce document et à en discuter au sein de votre collectif et/ou avec d'autres personnes au sein de la communauté Black Bloc anarchiste. Nous espérons que de tels groupes et les personnes intéressées qui sont liés au Black Bloc signeront leurs noms (pas nécessairement leurs vrais noms) au bas de ce document et mettront en pratique les propositions tactiques présentées ci-dessous. Dans l'éventualité probable où ce document est en partie inacceptable pour votre groupe de lutte, nous espérons que ces éléments de désaccord seront discutés, débattus et amendés comme il se doit afin que le Black Bloc atteigne un consensus. Nous demandons ici que les divers journaux et périodiques anarchistes ouvrent leur section de « courrier des lecteurs et lectrices » à cette fin.

LADY, AUGUST SPIES, MUFFIN,
D'ACTION ANTI-RACISTE
ET DAVID O. (O VAN), X, NATASHA
DU COLLECTIF ANARCHISTE DE
GREEN MOUNTAIN

Notre mouvement grandit

Au cours de la dernière année et demi (depuis la bataille de Seattle)[5], nous avons assisté et nous avons participé à la maturation d'un vaste mouvement social de protestation ainsi que d'un mouvement révolutionnaire anarchiste, certes plus restreint mais tout de même en expansion.

Huit raisons fondamentales expliquent ce phénomène :

1. La sensation de vide se dégageant d'une pseudo-réalité transformée en marchandise par un néocapitalisme exacerbé aux conséquences inexorables: l'aliénation de masse, l'anxiété et l'Ennui.

2. L'échec continu du système actuel à enrayer la dégradation matérielle (la pauvreté) au sein de certains secteurs de la classe des travailleurs et des travailleuses et des pauvres.

3. La riposte populaire et le réveil des syndicats généralement assoupis face à la tentative avérée de la part des puissances dirigeantes du néocapitalisme d'homogénéiser l'économie et la culture mondiales par l'entremise d'organisations élitistes et centralisées telles que la Banque mondiale, le Fonds monétaire international et l'Organisation mondiale du commerce.

4. La réconciliation de contre-cultures jusqu'alors divisées (le « punk » urbain, le « hippy » rural, etc.) permet de s'appuyer sur une base pour diffuser les changements qui surviennent dans la conscience sociale populaire.

5. L'accroissement des moyens de communication au sein de la population a eu pour conséquences de permettre des améliorations organisationnelles et une mobilisation plus efficace auprès des mouvements sociaux contestataires en général et anarchistes révolutionnaires en particulier.

6. L'expérience acquise par les organisations au cours de la dernière décennie a

grandement accru la capacité pratique du mouvement dans son ensemble.

7. La génération des enfants des années 1960 et 1970 a maintenant atteint sa pleine maturité. Ceci est un facteur qui ne doit pas être sous-estimé alors que nous voulons construire – et continuer à détruire – à partir de l'endroit même où nos mères et nos pères abandonnèrent la partie.

Et enfin :

8. Le répression policière subie aux États-Unis et au Canada au cours de cette dernière année a eu pour effet de radicaliser d'un océan à l'autre et vice versa des dizaines de milliers de manifestants jusqu'alors sociaux-démocrates.

L'anarchisme et le mouvement dans son ensemble

Alors que le mouvement dans son ensemble a réussi a développer la conscience politique et a obtenir quelques victoires concrètes importantes, tout reste encore trop indécis et malléable pour accorder une confiance aveugle à ses factions les plus visibles (telles qu'elles s'incarnent dans le Réseau d'Action Directe [Direct Action Network]).

En tant qu'anarchistes révolutionnaires, nous devons continuer à détourner le mouvement de ses tendances inconscientes vers l'abstraction spectaculaire et l'abdication social-démocrate tout en y encourageant et en y appuyeant les tendances en faveur d'une démocratie participative et directe. Nous devons continuer à agir de la sorte par la diffusion de la théorie anarchiste révolutionnaire et par l'exemple DIRECT, à la fois dans les rues, dans les efforts d'organisation communautaires et dans nos styles de vie. Ceci doit continuer à être la priorité dans les manifestations aussi bien qu'au sein de nos différentes communautés locales.

Tout en procédant de la sorte, nous devons être attentifs à ne pas limiter nos liens dialectiques au mouvement lui-même. En bref, nous devons continuer à solliciter les masses qui n'y sont pas encore intégrées, puisque c'est seulement à travers leur participation directe que le système d'oppression actuel se désintégrera à tout jamais et disparaîtra dans la poubelle de l'histoire.

Le développement du mouvement

Pour toutes les raisons mentionnées, l'année et demi qui vient de s'écouler peut être considérée comme une étape de transition vers la résurgence progressive du mouvement anarchiste révolutionnaire en dépit de certains revers douloureux, tels la disparition de l'organisation Love & Rage ainsi que celle du Fire Cracker Info Shop du Massachusetts. Nous avons pu avancer de deux pas à chaque fois que nous reculions d'un pas, grâce à la situation historique objective et à nos capacités concrètes nouvellement acquises. Ceci dit, avant de devenir prétentieux, il faut admettre que nous avons beaucoup, beaucoup d'étapes dangereuses à franchir avant d'atteindre le dénouement de cette épopée.

Nos communautés locales

C'est dans nos communautés spécifiques que nous (Black Bloc et anarchistes en général) pouvons faire progresser le mouvement anarchiste révolutionnaire par une organisation communautaire diligente et utile au sein des affranchis. Pour cela, nous devons fonder des coopératives de travailleurs et travailleuses, des centres communautaires et des journaux. Chaque fois que c'est possible, nous devons également favoriser des créations artistiques anarchistes et des actions politiques directes. Lors de vastes manifestations, c'est par les action de notre Black Bloc que nous aurons organisé que nous pouvons faire avancer notre mouvement.

Lors de manifestations

C'est en vertu de l'engagement inconditionnel du Bloc que les manifestations social-démocrates sont transformées en performances insurrectionnelles. En nous défendant physiquement contre l'attaque de l'État (la police), nous ajoutons un élément important à un mouvement autrement plutôt timide. Par le fait de défendre des manifestants non-violents contre les assauts de la police (comme durant l'action du 16 avril à Washington, D.C.), nous démontrons le pouvoir extra-symbolique des individus tout en augmentant l'efficacité relative de l'action d'ensemble. En attaquant et en détruisant la propriété privée capitaliste (comme lors de la bataille de Seattle), nous allons au-delà de la rhétorique et nous infligeons dans les faits de vrais dommages matériels aux avant-postes urbains de l'empire oppresseur indésirable et totalement mercantile des nouveaux capitalistes. Par notre méthode, nous transformons l'indécision et la prudence en action VÉRITABLE.

Des pacifistes de la classe moyenne aisée déclarent que nous sommes dans le tort du fait même de nos principes qui s'incarnent dans l'action. Or, ils devraient se souvenir que le seul but légitime des manifestations de masse est de provoquer un changement social et révolutionnaire nécessaire pour le bénéfice de tous et de toutes. Le but n'est pas, et ne devrait jamais être, de se laisser arrêter et brutaliser au nom de quelque puérile affiliation à Gandhi ou à Martin Luther King Jr. De plus, nous devrions tous réfléchir au fait que l'Inde d'aujourd'hui est dévastée en raison de l'exploitation capitaliste soutenue et que les Noirs américains sont encore traités comme des citoyens de second rang aussi bien par l'appareil d'État que par la ploutocratie. Ces simulacres de justice ne pourront être totalement rectifiés que par un mouvement anarchiste révolutionnaire international authentique et victorieux ayant recours à la fois à des méthodes violentes et non-violentes.

C'est dans ce contexte particulier et très concret que nous luttons. Nous ne devrions pas et n'allons pas compromettre notre haine ou notre amour, car nous compromettrions alors notre objectif qui est d'atteindre l'anarchie, c'est-à-dire une révolution sociale complète qui incarne le rêve d'une humanité entière libérée des chaînes visibles et invisibles.

Nous n'offrons aucunes excuses.

De la nécessité d'améliorer nos capacités tactiques

Les forces de l'État (plus spécifiquement le Federal Bureau of Investigation [FBI] et la police) nous étudient depuis un certain temps. Il est donc absolument nécessaire que nous développions plus avant notre compréhension tactique et nos capacités pratiques dans les rues si nous voulons maintenir et même accroître nos capacités militantes.

À ce sujet, il y a quelques choix fondamentaux que nous devons faire pour relever ce défi :

1. Améliorer l'organisation de la force de combat de rues ;
2. Entraînement physique régulier entre les actions ;
3. Faciliter les attaques préventives ;
4. Préparation pour une intensification éventuelle de l'oppression étatique et pour une transformation du mouvement social de protestation en véritable révolution sociale ;
5. Développer la réflexion théorique et l'éducation sociale et politique à l'intérieur du mouvement et entre les actions.

Pour l'instant, la mobilisation de nos forces se fait de façon si improvisée que notre capacité à combattre les forces de l'État bien entraînées et disciplinées reste limitée. En fait, c'est uniquement grâce à notre dévouement révolutionnaire et à nos constitutions de fer que nous avons été capables de combattre ces forces avec les succès relatifs que nous avons obtenus jusqu'à présent. Nous nous battons par amour, par haine de l'oppression et simplement parce qu'il est juste d'agir ainsi. Les membres des forces de l'État combattent par haine de la diversité et de la libre expression, ainsi que pour toucher leur chèque de paie.

Néanmoins, les agents de l'État vont modifier leurs tactiques actuelles en fonction de leurs expériences sur le terrain et des volumineux rapports d'analyse produits à notre sujet suite à Seattle et à Québec. Il faut donc s'attendre à ce que les forces de l'État atteignent dans un proche avenir un nouveau palier de supériorité à notre égard. Il est par conséquent absolument nécessaire que nous commencions à nous réorganiser de manière à obtenir à nouveau certains avantages pour notre camp.

LA CAPACITÉ TACTIQUE ACCRUE DE LA FORCE DE COMBAT DE RUE

La mise sur pied d'un noyau élu de facilitation tactique

Nos expériences au cours des dix-huit derniers mois nous ont beaucoup appris au sujet du véritable potentiel du Black Bloc durant les manifestations de masse. A16[6] a été la preuve de l'efficacité d'un grand Black Bloc allié à des groupes menant des actions directes non violentes. À ce moment critique de l'histoire, nous avons pu constater que les tactiques combinées d'autodéfense du Black Block et de désobéissance civile de groupes non violents ont permis d'occuper une grande partie du territoire urbain. J20 a montré comment un Black Bloc compact et entouré de bannières défensives peut inspirer confiance aux manifestants et dissuader de façon efficace les policiers de mener des arrestations ciblées. A20[8] a montré pour sa part comment un Black Bloc de taille relativement modeste (comme celui du samedi 21) peut se transformer en une importante force de combat lorsque la volonté physique et mentale est active. Cependant, nos expériences ont également permis de révéler certaines faiblesses que nous sommes loin de pouvoir surmonter pour l'instant. En particulier, l'absence d'une structure démocratique de commandement tactique a mis en péril notre capacité d'agir rapidement et de façon décisive. Dans certains cas, ce manque nous ont plongé dans l'indécision, en particulier en ce qui a trait aux mouvements. Nous nous sommes retrouvés conséquement dans des situations dangereuses et certains des nôtres ont ainsi été arrêtés (le lundi du A16). C'est pourquoi nous affirmons que nous devons mettre en place une véritable structure démocratique de commandement tactique qui augmente notre mobilité sans mettre en cause nos principes anarchistes.

C'est en ce sens que nous proposons que le rôle de porte-parole élu des groupes d'affinité soit étendu à celui d'Aviseur tactique (a-tacs). La fonction de cette personne consisterait à faciliter les actions concertées de sa section tel que recommandé par le noyau général de facilitation tactique (le n-tac, qui sera discuté plus loin). De plus, chaque groupe d'affinité devrait aussi élire un remplaçant au cas où le premier a-tac serait dans l'incapacité d'agir à la suite d'une blessure ou de son arrestation.

Tous les a-tacs élus devraient se réunir à huis-clos après l'assemblée générale du Black Block où les plans d'action généraux pour la journée devraient avoir été discutés, débattus et adoptés par consensus (le secret est ici nécessaire pour des raisons de sécurité). Au cours de cette réunion des a-tacs, un noyau général de facilitation tactique (n-tac) devrait être élu, à nouveau par consensus. Les membres de ce n-tac devraient agir de façon telle à faciliter les mouvements du Black Bloc en conformité au plan d'action général établi à l'assemblée publique précédente. Suite à la réunion à huis-clos, l'identité des membres du n-tac sera dévoilée discrètement par les porte-parole élus (a-tacs) des groupes d'affinité à tous les membres de confiance. Tous les groupes d'affinité dont l'a-tac a été élu au noyau général de facilitation tactique devrait élire un nouveau a-tac pour le remplacer.

Dans les cas où il y a un grand Bloc dans une manifestation de masse, les groupes d'affinité devraient être responsables de positions spécifiques au sein du Bloc, en particulier à l'avant, à l'arrière et sur les côtés (ceci devrait être décidé à l'assemblée générale). Ceci amènera la formation de quatre brigades périphériques principales (voir plus loin pour la discussion sur l'utilisation des brigades). Dans ce cas, il devrait y avoir 12 n-tacs élus. Ces personnes devraient provenir des brigades périphériques dont elles assumeraient la responsabilité (voir plus loin). Les 12 n-tacs devraient être divisés en quatre groupes de trois membres qui devraient se répartir les positions suivantes :

1. Une personne dans la brigade périphérique dont elle est responsable (à l'avant, à l'arrière, à gauche ou à droite du Bloc) ;
2. Une personne près du centre du Bloc, avec les représentants des autres brigades périphériques ;
3. Une personne qui servira d'agent de liaison entre le n-tac du centre et la brigade périphérique.

En général, toutes les décisions importantes – et en particulier celles concernant les mouvements – devraient être prises par consensus au sein du n-tac du milieu. Pour se faire, il devrait s'appuyer sur les informations fournies par les brigades périphériques et par des informateurs fiables en provance des unités de reconnaissance.

Pour qu'ils soient en mesure d'agir efficacement et en toute sécurité, ces n-tacs devraient également être accompagnés de personnes leur étant spécifiquement affectées. C'est ainsi que les n-tacs en position dans les brigades périphériques devraient être assistés de deux personnes de leur groupe d'affinité ou non. L'une sera chargée de maintenir la liaison radio avec les équipes de reconnaissance et\ou les autres groupes. La deuxième personne doit être responsable de la sécurité du n-tacs. On doit être conscient du fait que ces personnes seront facilement identifiées par les forces de l'ordre et qu'elles sont susceptibles d'être ciblées et arrêtées. De même, le noyau central des n-tacs doit être assisté d'un certain nombre de personnes avec des radios et d'autres qui assurent la sécurité.

Également, au fur et à mesure que l'action se déroule, il faut interchanger le rôle des membres du n-tac, qu'ils agissent en tant qu'agents de liaison ou qu'ils soient positionnés en périphérie ou au milieu. Cette permutation des rôles permet d'éviter le penchant psychologique à l'autoritarisme qui risque de se développer au sein du noyau central des n-tacs. Il faut rappeler que le rôle de ces personnes consiste principalement à s'occuper des mouvements du Bloc (quelle route emprunter, de quel côté se diriger à un carrefour). En aucun cas elles ne doivent jouer le rôle de généraux ou de leaders.

Il est important ici d'insister sur plusieurs choses. Premièrement, nous ne préconisons pas la création d'une clique permanente d'officiers. Ces postes électifs ne doivent exister que le temps de l'action. Si cette dernière dure plus d'une journée, il serait alors souhaitable d'élire chaque jours d'autres a-tacs et n-tacs. De plus, tous les postes d'a-tac ou de n-tac doivent être révocables en tout temps par l'ensemble du Bloc. Enfin, l'influence que les a-tacs et n-tacs exerceront ne devrait pas dépasser celle liée à la fonction de facilitateur du plan général adopté à l'assemblée générale du Black Bloc. Toute tentative de dépasser ce mandat devrait être une raison suffisante de révocation. Et il est évident, bien sûr, que nous ne préconisons pas la formalisation d'un modèle hiérarchique militaire. Il doit être parfaitement clair que l'ensemble de ceux et celles qui participent à un Bloc se réservent le droit de désobéir à n'importe quel ordre des tacs et même de déserter. C'est ainsi que l'adoption d'une telle structure restera conforme aux principes anarchistes d'organisation. Les milices anarchistes ont reconnu la nécessité de ce genre de structure durant la Guerre civile d'Espagne et nous devrions faire de même.

Les groupes d'affinité individuels

Les groupes d'affinité (GA), généralement composés de 3 à 10 personnes, devraient s'organiser de telle façon qu'ils puissent atteindre leurs objectifs lors de l'action en cours. Déterminer l'objectif d'un GA en fonction de l'objectif général permet de mettre sur pied des GA spécialisés.

On suggère qu'il y ait, à l'intérieur de ces GA, une personne munie d'une trousse de premiers soins, même rudimentaire (de la solution saline, du vinaigre, des pelures de citron, de l'eau, des médicaments de secours). Il serait de plus utile que chaque membre du Black Bloc suive un cours élémentaire de premiers soins, ou qu'il ait une connaissance général des pratiques d'aide médicale liées aux manifestations. De la même façon que l'entrainement physique, la connaissance des premiers soins augmentera notre capacité générale de combat.

Il doit être décidé si les GA devraient utiliser une radion et\ou un téléphone cellulaire durant l'action. L'usage de ces outils de communication peut-être utile pour certains GA, mais il est inutile de s'encombrer d'un tel matériel si cela n'est pas nécessaire. La communication peut être perdue, par ailleurs, lorsque l'opérateur manque d'entrainement ou par le brouillage des canaux. Une augmentation de postes de radio ne sera jamais la solution à un manque d'organisation ou d'information; mais le positionnement et l'utilisation stratégiques du matériel de communication nous permettra toujours d'être plus efficaces. Les rôles des autres personnes dans le GA, en dehors de ceux déjà mentionnés d'infirmier et d'opérateur de radio et\ou de téléphone cellulaire, dépendent du genre et de la fonction du groupe. Les GA doivent en décider eux-mêmes.

Les GA spécialisés comprennent – entre autres – les brigades de ligne de front (défensives), les brigades offensives, les patrouilles de reconnaissance, les brigades anti-propriété, les unités de premiers soins, les brigades de soutien, les groupes d'animation sonore, les brigades de frappes préventives.

Un GA de ligne de front devrait avoir des boucliers et\ou d'autres pièces lourdes d'armure pour être en mesure de former et tenir la ligne de front. Ils pourront demander d'autres porteurs de boucliers à l'intérieur du Bloc en vue de former une solide ligne de défense. Ce GA constituera un point de ralliement pour assurer la position au Bloc. Il ne fera pas partie d'une ligne d'attaque, mais tiendra une position pouvant servir de lieu de repli si l'attaque tourne mal. De plus, ce groupe est bien placé pour surveiller la construction des barricades.

Un GA offensif doit être très mobile et enthousiaste. Les membres de ce type de GA doivent être préparés à la confrontation. Les GA offensifs doivent être également prêts à remplir des besoins tactiques particuliers et si notre présentation de ce groupe s'arrête là, c'est que nous encourageons la créativité.

Un GA de reconnaissance opère à l'extérieur du Bloc, récoltant de l'information. Il reste constamment en communication avec le Bloc principal, le tenant informé des mouvements des forces policières et de leur nombre. Lorsque des faiblesses chez l'adversaire sont détectées, le GA doit en informer le Bloc pour lui signaler les opportunités d'offensive.

Le Bloc devrait avoir son GA d'infirmiers volontaires. Pour une protection idéale, les unités de soins devraient se partager de façon à couvrir tous les côtés de l'ensemble du Bloc. Qu'un Black Bloc ait sa propre unité d'infirmiers volontaires ne signifie pas qu'ils ne porteront secours qu'aux membres du Black Bloc, mais qu'ils se déplaceront avec le Bloc.

Les GA anti-propriété existent également dans notre mouvement. Les rôles joués par ses membres ne doivent pas être dévoilé à ceux qui n'en font pas partie. De même, les informations sur les GA se consacrant à des frappes préventives doivent être tenues secrètes. Toute fuite d'information sur leurs plans ou l'existence même de ces deux groupes ne fera que compromettre leur sécurité.

Il y a aussi plusieurs types de GA de soutien, dont la tâche de l'un d'entre eux consiste à intervenir dans les situation de panique. Il ne devrait pas y avoir plus de quelques GA de ce type pour chaque brigades périphériques (voir plus loin l'utilisation des brigades)

Il peut y avoir également un GA de ravitaillement et de communication responsable de l'apporvisionnement en nourriture et en eau et chargé de distribuer des communiqués aux personnes dans le voisinage et aux manifestants ne faisant pas partie des Black Blocs. L'eau pourra également servir à se nettoyer les yeux au besoin.

Un GA d'animation sonore permet de maintenir l'enthousiasme et la volonté d'agir lorsque la situation l'exige. La musique peut créer des poussées d'énergie et des vagues d'enthousiasme dans le Bloc, tout en envoyant un message de puissance à l'ennemi. La créativité est encouragé dans ce domaine : certains seront stimulés par le son de la cornemuse alors que d'autres seront motivés par des slogans radicaux et entraînants. On devrait continuer à utiliser – et toujours essayer d'améliorer – cette approche humaniste à travers la musique et les slogans. Ceci joue en notre faveur, car le temps n'est sûrement pas venu où l'État utilisera de telles tactiques chargées d'émotions.

Brigades

Un GA doit tenter de faire partie d'une brigade regroupant 5 à 10 GA différents. Chaque Brigade doit avoir son drapeau qui servira de point de ralliement. Ces drapeaux reconnaissables par leurs couleurs ou leurs motifs seront utilisés comme balises. Celles-ci doivent indiquer une position de repli, ou simplement servir de point de repère si quelqu'un s'écarte de son GA. Chaque brigade doit pouvoir fonctionner de façon autonome. Pour être en mesure de le faire, les GA doivent se préoccuper d'entrer en communication entre eux avant leur participation à l'action.

Les brigades se forment naturellement par des relations de confiance entre les individus et les groupes et doivent continuer à le faire ainsi. Cela étant dit, l'assemblée générale du Black Bloc devrait rester un lieu où il est possible d'établir des réseaux; c'est là qu'on détermine quel genre de GA est nécessaire pour parachever les brigades offensive, défensive et de soutien, de façon à ce qu'elles soient fonctionnelles. Lorsque nécessaire et si elle est en mesure de le faire, une brigade établie à l'avance doit s'adjoindre certains GA spécialisés et incorporer un bon nombre de GA dans ses rangs. Plus les brigades seront équilibrées et autonomes et le mieux ce sera. Plus nombreux seront les GA liés à des brigades fonctionnelles et plus l'action entreprise sera efficace et sécuritaire.

Chaque brigade doit prendre en charge certaines fonctions du Black Bloc considéré dans son ensemble. Les principales options que peuvent choisir les brigades sont les suivantes: 1) Brigades périphériques, 2) Brigades d'appoint, 3) Brigades de réserve (voir plus loin dans la partie intitulée « réserves »). L'organisation de ces brigades et l'attribution de leurs fonctions doivent se faire à l'assemblée générale du Black Bloc, avant la réunion des porte-parole a-tac.

Le Black Bloc comme entité en mouvement doit être délimité par quatre brigades périphériques. L'une à l'avant, l'autre à l'arrière et les deux autres à droite et à gauche. Comme nous l'avons déjà dit, chacune de ces brigades doit arborer un drapeau qui servira de point de ralliement.

Ces brigades périphériques doivent s'assurer de former un périmètre de sécurité couvrant tous les côtés du Bloc. Chacune d'entre elles doit se sentir directement responsable de la position qu'elle occupe (avant, arrière, gauche, droite).

Il est également souhaitable que les membres des différents GA défensifs et offensifs de chaque brigade périphérique travaillent en étroite collaboration lorsque le besoin s'en fait sentir. Par exemple, si le Bloc trouve qu'il est nécessaire de se replier d'une position donnée, toutes les personnes qui font partie de la brigade périphérique concernée ainsi que toutes les autres en dehors de cette brigade mais qui ont de l'équipement défensif (comme des boucliers) doivent maintenir leur position à l'arrière et faire face à l'ennemi pour couvrir la retraite contre les balles de plastique, les sacs de pois, etc. De même, durant des manoeuvres offensives, toutes les personnes munies d'équipement offensif devraient se placer à l'avant, ainsi qu'un petit nombre de personnes équipées de boucliers de façon à contrer l'effet des matraques ennemies. Lorsque c'est nécessaire, des renforts apportés par les autres brigades périphériques doivent être prêts à se jeter dans la mêlée. Cependant, cela ne doit être fait qu'en cas d'absolue nécessité car il est souhaitable de maintenir en tout temps un périmètre de sécurité tout autour du Bloc. Tout cela tombe sous le sens, bien sûr.

Les brigades d'appoint devraient prendre position dans les espaces laissés libres par les quatre brigades périphériques. Elles doivent agir de leur propre initiative tout en étant préparées à prêter main-forte aux brigades périphériques si celles-ci sont attaquées. L'une des tâche principales des brigades d'appoint devrait être l'attaque des lignes de défense de l'armée et de la police, quand cela s'avère souhaitable et\ou nécessaire.

Pour atteindre cet objectif, il peut être souhaitable d'appliquer des tactiques déjà utilisées par les Black Bloc allemands (entre autre). Le centre du Bloc peut ainsi être occupé par des formations en lignes droites (de droite à gauche), chaque ligne étant formée par un ou deux GA. Ainsi, des GA composant une brigade d'appoint devraient prendre consciemment position en rangées successives. Cette disposition en lignes renforce la sécurité intérieure et permet par ailleurs au Bloc de mener des offensives répétées et soutenues contre l'ennemi au moment jugé opportun.

Les brigades périphériques doivent accorder une liberté de mouvement aux brigades anti-propriété indépendantes, ou à celles rattachées à une brigade d'appoint, en les laissant sortir du Bloc ou y revenir.

L'organisation ou tout simplement la capacité de lancer de telles manoeuvres devrait souvent venir des n-tacs en collaboration avec les GA, car ce sont les n-tacs qui ont, en général, la meilleure vue d'ensemble du déroulement des opérations et de la situation du Bloc. Ce sont donc des manœuvres tactiques que les n-tacs devraient être prêts à faciliter de manière responsable.

En tout et partout, l'application du modèle des brigades décrit précédemment

devrait avoir pour résultat de nous donner une plus grande ouverture tactique que nous n'avions auparavant. De plus, la mise en application de ces capacités tactiques devrait effrayer et démoraliser l'ennemi.

Reconnaissance et communication

Il est nécessaire que le Bloc possède un système sophistiqué de communication et de reconnaissance de combat. La reconnaissance devrait être effectuée par des individus en duo et/ou en groupes d'affinité, à vélo et dotés d'une radio et/ou d'un téléphone cellulaire. Le noyau de facilitation tactique devrait également disposer d'une radio et/ou d'un téléphone cellulaire. Lors de l'action, les équipes de reconnaissance devraient explorer toutes les rues que le Bloc pourrait emprunter et constamment se rapporter au noyau de facilitation tactique. De cette façon, la mobilisation du Bloc pourra être orchestrée par des décisions relativement éclairées et raisonnables.

D'autres éléments de reconnaissance devraient opérer dans des zones d'action qui ne sont pas dans le voisinage immédiat du Bloc, ceci de façon à garder le Bloc informé du déroulement général de la manifestation et à indiquer éventuellement aux membres du n-tac des points chauds où le présence du Bloc est requise.

Les groupes d'affinité individuels qui sont en possession de radios devraient être eux aussi tenus informés du canal sur lequel transiteront les communications de façon à ce que le Bloc dans son ensemble soit tenu informé de la situation générale. De même, les groupes d'affinité qui ne participent pas au Block Bloc mais qui pratiquent la désobéissance civile devraient savoir quel sera le canal radio utilisé et ils devraient connaître les numéros des téléphones cellulaires pour qu'ils puissent appeler le Bloc à la rescousse lorsque c'est nécessaire.

Comme cela fut évoqué plus haut, il est probable que les gens impliqués directement dans les opérations de reconnaissance proviennent de diverses brigades. Ceci dit, il est préférable qu'un groupe d'affinité se présente à l'action déjà préparé pour agir en tant que cellule spécialisée pour les opérations de reconnaissance. Il serait souhaitable que ce groupe soit composé de résidants de la ville où se déroule l'action, puisque des individus sont plus efficaces lorsqu'ils patrouillent une zone urbaine qu'ils connaissent déjà. De plus, ceux et celles qui veulent s'occuper des communications doivent savoir se servir des radios.

Les codes et les canaux qui seront utilisés ne doivent être discutés qu'avec les membres du Bloc qui ont une radio. On peut appliquer plusieurs tactiques différentes pour les communications. Chaque brigade doit arriver sur les lieux de l'action en ayant déterminé son mode de communication interne.

Réserves

Au cours de l'histoire, plusieurs batailles ont été remportées par le déploiement des troupes de réserve utilisées comme force tactique. Cette tactique s'est avérée efficace pour l'armée et la police américaines. L'utilisation de forces de réserve n'est pas une tactique couramment utilisée par le Black Bloc en Amérique du Nord. Il est important que nous envisagions d'utiliser cette tactique pour mieux combattre les fiers-à-bras de l'État.

L'État a toujours eu l'avantage sur nous quand il s'agit d'employer la force brute. Sa capacité à utiliser des forces de réserve en amenant des autobus pleins de troupes fraiches et lourdement équipées constituera toujours une menace pour nous. De notre côté, nous nous battons pendant des heures et des jours avec le même attirail, ne nous accordant aucun moment de répit ou presque. C'est pourquoi il est juste que nous étudions les tactiques employées par les forces de l'État et que nous adoptions celles qui nous paraissent efficaces tout en respectant nos principes anarchistes.

L'utilisation de forces de réserve peut inspirer le Black Bloc pour plusieurs raisons. L'une d'entre elles étant qu'une telle tactique a toujours porté fruit au cours de l'histoire. Essayez de plus d'imaginer l'effet psychologique que l'utilisation de tactiques sophistiquées peut avoir sur les troupes de l'État. Ceci étant dit, il ne faut pas en conclure que des forces de réserve doivent toujours être utilisées lorsqu'un Black Bloc participe à l'action, mais cette possibilité peut toujours être envisagées lors de l'assemblée générale du Bloc. La décision d'utiliser des forces de réserve devrait être prise à l'avance, avant même que l'action ne prenne place.

Quand il y a des forces de réserve, on peut les utiliser lorsque le Bloc est encerclé par la police. Dans ce cas, les brigades de réserve sont appelées pour prendre à revers les positions de la police, provoquant même coup l'encerclement de cette dernière. De plus, les brigades de réserve peuvent être utilisées pour garder une position qui pourra servir de point de repli pour le bloc. Envoyer des petits groupes de réserve peut être la solution idéale pour ajouter des forces pour enfoncer un barrage de police ou s'emparer d'une brigade.

L'armée américaine garde le tiers de ses forces en réserve. C'est la proportion idéale pour une troupe de combat qui veut opérer une percée à un moment crucial d'une bataille. En gardant cela à l'esprit, il serait souhaitable de garder 300 individus en réserve pour un Black Bloc de 1000 individus. De même, pour 2000 individus, il devrait y en avoir environ 600 en réserve. Par contre, on ne devrait pas garder de groupes de réserve pour un Black Bloc de moins de 1000 personnes. Avec un aussi petit nombre, les groupes mis en réserve ne feraient qu'affaiblir le Bloc alors qu'il a besoin de toutes les forces disponibles pour participer à l'action.

Il y a des débats à savoir quel est le meilleur moment pour utiliser des forces de réserve. Sachant cela, il est important d'examiner toutes les options possibles et d'en discuter. Il faut prendre en considération plusieurs facteurs, comme la configuration de la ville (les routes sont-elles larges ou étroites ?), le rapport de force entre le Bloc et la police et le déroulement de l'action (y a-t-il des grandes parties de la ville occupées par des manifestants non violents ou la police et la garde nationale ont-elles le champ totalement libre ?). Ces questions doivent être débattues lors des assemblées générales du Bloc. La façon de mettre sur pied un groupe de réserve et les moyens de communication à employer devraient être discutés après l'élection de n-tacs à la réunion des porte-parole élus (les a-tacs). Suite à l'élection, ces informations peuvent être précisées à une réunion des n-tacs où seules les personnes directement concernées sont présentes.

Au cours de cette réunion, on devrait décider de l'emplacement des forces de réserves et des procédures de communication par radio et\ou téléphone cellulaire. Cette force de réserve doit maintenir le contact par radion et\ou téléphone cellulaire avec le Bloc en restant en liaison avec les n-tacs. La décision de faire appel aux réserves doit être laissée aux n-tacs. Notez que ceux-ci reçoivent les informations sur l'allure du combat et le besoin de forces de réserve des cellules du Bloc. La décision du n-tac d'appeler des réserves se prend lorsque des groupes à l'intérieur du grand Bloc demandent des renforts. Pouvoir compter sur cet appui est important, considérant les nombreux besoins des membres du Black Bloc participant à l'action.

Le déploiement des réserves (où et combien) doit être laissé à l'initiative des n-tacs. Les détails du déploiement , l'itinéraire à suivre, etc., doivent être laissés aux groupes concernés. Quand il devient important de prendre une décision rapidement, les a-tacs élus des groupes concernés doivent être prêts à faire des suggestions en connaissance de cause (suggestions que les personnes concernées sont libres d'accepter ou de refuser). La position exacte des forces de réserve ne doit pas être connue de tout le Bloc. Les membres du n-tac sont les seuls qui doivent la connaître. On suggère également de décider de cet emplacement à la dernière minute, lorsque les forces de réserve sont prètes à se mettre en place. Cette façon de procéder pourrait permettre d'éviter que l'information vienne aux oreilles de la police par les voies habituelles d'infiltration. Si cette information était connue, elle conduirait presque certainement à des arrestations de groupes isolés par la police d'État.

Toutes les forces de réserve doivent être divisées en brigades d'environ 50 personnes chacunes et disposées stratégiquement autour de la zone où se déroule l'action. Des brigades de réserve de 50 individus sont souhaitables car ce nombre est assez petit pour préserver une grande mobilité et ne pas trop se faire remarquer (par la police) tout en étant suffisant pour représenter une bonne force de combat. Cette brigade est assez forte pour se frayer un chemin à travers les rangs de la police au besoin (une rangée de 24 de profondeur ou deux rangées de 12 de profondeur chacune), et de se regrouper par la suite au sein du Bloc. Diviser ces forces de réserve en petites unités plus maniables leur permet de répondre rapidement à l'appel. Cette façon de procéder évite l'étape de la division des réserves du Bloc et procure une plus grande sécurité dans l'éventualité où les emplacements occupés sont découverts par les forces de l'ordre (alors qu'il est possible que la position d'une brigade de réserve soit connue, il est peu probable que la police connaisse tous les emplacements).

Comme on l'a mentionné auparavant, il n'est pas nécessaire de rappeler toutes les brigades lorsqu'on a besoin de renfort. La division de ces forces de réserve en plus petites unités permet de faire appel seulement à celles qui sont les plus proches et à celles dont la présence est nécessaire, permettant ainsi une grande rapidité de manoeuvre.

Quand un nombre relativement important de membres des forces de réserve est appelé (trois brigades de 50 personnes, par exemple), elles peuvent converger vers le champ de bataille en provenance d'horizons différents. Cette tactique, quand elle est bien utilisée, peut jeter la confusion chez l'ennemi quant à sa perception de la situation de combat. Il est également possible que cette tactique, bien coordonnée, permette de prendre l'ennemi par le flanc et l'obliger à battre en retraite, voire même le mettre en déroute.

Lorsqu'elles sont inactives, les forces de réserve doivent rester à l'écart pour éviter les attaques éclair, mais sans trop s'éloigner de façon à ce que la police ne puisse pas les isoler avant qu'elles rejoignent le Bloc. Elles peuvent se trouver à une distance de quelques pâtés de maisons, mais de toute façon ceci doit être décidé par les brigades de réserve elles-mêmes, compte tenu des suggestions des n-tacs.

Identifier chaque brigade de réserve par une lettre peut être utile aux n-tacs pour mieux gérer les manœuvres des forces de réserves. Par exemple, les n-tacs savent que la brigade « B » se trouve sur le flanc droit du Bloc. Ces derniers peuvent alors faire appel à cette brigade (simplement en disant « brigade B ») sans avoir à faire de longs discours à la radio et\ou au téléphone cellulaire, donnant ainsi le moins d'information possible susceptible d'être utilisée par les forces de l'ordre. On peut également toujouts craindre la présence d'informateurs parmi nous et le mot « réserve » ne doit jamais être utilisé lorsque l'on communique en public.

Avant de rejoindre le Bloc, ces brigades doivent éviter de se battre, si ce n'est pour se dévendre ou si c'est inévitable. Faire usage de discrétion est vital. Il est souhaitable que les membres des brigades de réserve puissent se métamorphoser rapidement en membres « réguliers » du Bloc. L'accoutrement du Black Bloc doit être porté sous les habits « ordinaires ». Ceci permettra aux membres de la réserve de se fondre dans le Bloc et d'éviter d'être repérés par les hélicoptères de la police et les mouchards de l'État. Quand ils sont appelés en renfort par les n-tacs, les brigades de réserve doivent enlever leurs habits ordinaires pour laisser voir leurs vraies couleurs. Les habits ordinaires peuvent être abandonnés et jetés. Garder des habits de rechange pour plus tard relève d'une décision personnelle. Cependant vous ne devriez apporter avec vous que le strict nécessaire.

Pour que la force de réserve soit efficace, il faut absolument qu'elle puisse se déplacer rapidement. Sans cela, elle pourrait échouer dans sa tentative d'atteindre la scène de l'action et/ou être empêchée de joindre le reste du Bloc au moment où son arrivée pourrait faire basculer le rapport de forces en notre faveur. C'est ainsi que les forces de réserve devraient être organisées à la manière de l'infanterie légère. Elles ne devraient porter qu'un équipement de combat léger et réduit au minimum de manière à ne pas être ralenties. Ceci signifie qu'elles ne devraient pas avoir de sacs à dos, de masques à gaz, de casques, de boucliers, d'armures lourdes (gilets de sauvetage, protecteurs de pectoraux, plastrons de receveur de base-ball, etc.). Elles ne devraient avoir que des foulards imbibés de vinaigre et un minimum d'équipement offensif (aux individus et aux groupes d'affinité de juger de ce qui est nécessaire). Les infirmiers constituent la seule exception à cette règle : ils devraient transporter tout le matériel nécessaire. Pour des raisons évidentes de mobilité, ce serait bien que les membres affectés à la réserve soient équipés de bicyclettes. Celles-ci peuvent servir pour l'attaque et la défense et on doit pouvoir les abandonner. Quand on ne peut avoir des bicyclettes, il est impératif que les membres des GA composant les brigades de réserve soient en bonne condition physique. En effet, ils doivent être capables de courir sur une distance de 2 km puis s'engager dans la bataille. Il faut garder cela à l'esprit lorsque l'on forme les brigades de réserve.

Lorsque ces forces de réserve sauront utiliser correctement leur rapidité et leur force, il est à prévoir qu'elles parviendront à surprendre l'ennemi et à le démoraliser. Le simple fait d'effectuer ces manœuvres relativement sophistiquées devrait mener les troupes ennemies à mettre en doute leur sécurité personnelle et leur apparente supériorité tactique. De tels développements sur la scène de l'affrontement, de tels revirements concrets et psychologiques ne peuvent que produire par eux mêmes un changement du momentum en notre faveur. Bien sûr, ce développement positif ne peut être maintenu et ne le sera que si le Bloc assure rapidement sa cohésion face à une férocité et une brutalité policières croissantes dans le conflit où nous sommes engagés. Mais attention : la férocité et la brutalité policières seront d'autant plus intenses que les forces de l'État auront le sentiment d'être en danger réel en raison même de notre utilisation de tactiques sophistiquées. Chacun doit donc se rappeler que les animaux sont le plus dangereux lorsqu'ils sont acculés dans un coin et qu'ils sentent que leur fin est proche.

Conseils de sécurité supplémentaires: cartes, radios, pièces d'identité, noms, etc.

Bien qu'il soit important que chaque groupe d'affinité (voire même chaque individu) possède une carte détaillée de la zone d'opération, il est absolument nécessaire que de telles cartes soient marquées uniquement à l'aide de codes. Lors de l'action R2K à Philadelphie, au moins deux membres du Black Bloc ont été arrêtés lors d'un raid préventif de la police mené environ quarante-cinq minutes après la réunion du Black Bloc (à laquelle ils étaient présents) et une heure et demi avant la manifestation elle-même. Les policiers trouvèrent sur eux des cartes du centre-ville sur lesquelles étaient indiqués au stylo des lieux de replis d'urgence pour le Black Bloc ainsi que des endroits où le Bloc prévoyait concentrer ses actions, marcher pour récupérer du matériel en vue de construire des barricades, etc.

Ces cartes n'étant pas codées, la police a pu obtenir un avantage puisqu'elle connaissait les déplacements prévus par le Bloc avant même qu'ils ne surviennent. Il est impossible de savoir avec exactitude l'impact de cette fuite d'information sur le déroulement des événements des journées d'action (tout comme il est impossible de savoir si la police ne possédait pas déjà ces informations grâce à des informateurs ayant infiltrés la réunion, comme certains l'ont prétendu). Il n'en reste pas moins que cet événement représente une erreur importante en matière de sécurité. Il est donc absolument nécessaire qu'à partir de maintenant toutes les indications sur les cartes soient codées de façon à éviter que ne se reproduise une telle catastrophe.

De plus, toutes les communications radios devraient s'effectuer sur des fréquences décidées à l'avance. En d'autres mots, les fréquences de communication devraient changer continuellement selon des intervalles prévus d'avance de façon à limiter la capacité des forces de l'État d'espionner nos communications. Toute l'information concernant ces fréquences et ces changements de fréquence à intervalles prédéterminées devraient être connue de tous les groupes qui ont un intérêt légitime à vouloir maintenir une communication radio avec nous.

Il devrait également aller de soi que personne ne porte sur soit à aucun moment quelques formes de pièces d'identité que ce soit, y compris son adresse domiciliaire ou son numéro de téléphone. Si vous êtes arrêté en possession de telles informations, cela servira uniquement à vous emmerder.

Enfin, lorsque vous êtes dans la zone de l'action, vous ne devez pas parler de vous même ni de ceux que vous connaissez en utilisant vos vrais noms au complet. Le moins nous rendons public nos identités réelles, le mieux nous nous porterons en ce qui a trait aux actions légales éventuelles et au harcèlement de l'État.

Communiqués

Il est important que toutes les actions d'un Black Bloc soient suivies d'un communiqué explicatif qui sera composé, dans la mesure du possible, par un large comité représentatif composé de volontaires des divers groupes d'affinité. Ce communiqué devrait parler des actions en expliquant pourquoi elles ont eu lieu, pourquoi des tactiques et des modes de combat spécifiques ont été développés, et en quoi cette lutte particulière est liée à la marche du mouvement anarchiste dans son ensemble vers un monde libre et créateur.

Pour organiser ceci, une réunion suivant l'action devrait être tenue dans un lieu sécuritaire. Le lieu et le moment d'une telle réunion devraient être prévus avant l'action lors de la réunion des officiers élus-porte-parole (après que toutes les autres questions aient été débattues) ou encore lors de l'assemblée générale de tout le Black Bloc (une fois encore après que toutes les questions aient été débattues).

De tels communiqués sont importants pour atteindre le grand public mais aussi pour contrer la tentative de démonisation de nos actions de la part de la presse capitaliste (et bien souvent aussi de la part de la presse social-démocrate et communiste orthodoxe).

Il est également important de prévoir, en plus de ce communiqué émis après l'action, un communiqué rédigé au préalable et distribué durant l'action. Là encore, on devrait préciser la raison pour laquelle nous prenons les (nos) rues et il faudrait indiquer les problèmes sociaux globaux qui nous poussent à agir ainsi. La responsabilité de la production et de la distribution de ce communiqué devrait être prise en charge par les différents groupes d'affinité. De même, les GA et\ou le personnel de soutien devraient prendre la responsabilité de distribuer ces communiqués au public et aux médias indépendants de gauche durant l'action. Tous ces communiqués devraient être signés du nom du groupe d'affinité ou de l'individu qui en est l'auteur de façon à souligner leur responsabilité. Toute déclaration anonyme devrait être considérée comme émanant de l'État dans le but de nous discréditer.

Principes anarchistes de commandement tactique

L'idée de mettre sur pied une chaîne de commandement démocratique ne vise pas à diminuer la spontanéité du Bloc, mais simplement à en accroître la mobilité générale et la capacité de combat lorsque la situation l'exige.

Les fonctions principales du noyau de facilitation tactique (n-tac) consisteront uniquement à guider le mouvement du Bloc et à appeler les forces de réserve à se déployer. En ce qui concerne la première fonction, elle devrait limiter les débats qui entraînent des pertes de temps regrettables lorsqu'il s'agit de décider à chaque intersection de la direction à prendre. Nous nous porterons d'autant mieux que nous parviendrons à éviter toute hésitation qui nous fait perdre un temps précieux et qui risque de mettre tout le Bloc en danger d'être encerclé et immobilisé par la police. Considérant la supériorité des forces de l'État en terme d'armement, être immobilisé signifie être vaincu. C'est ce qui est survenu le lundi lors de la manifestation du 16 avril (Washington, D.C.), lorsque la queue du Bloc, alors plus ou moins dissoute dans une masse de manifestants qui n'étaient pas du Bloc, a été coupée du corps du Bloc par la police et arrêtée.

Quant à la fonction relative au déploiement des troupes de réserve, elle peut faire la différence entre une victoire immédiate ou une défaite. Il est donc important que cette fonction soit attribuée au noyau élu de facilitation tactique pour se prémunir contre des agents provocateurs qui pourraient manipuler les forces de réserve, mais aussi pour éviter de perdre du temps en débats tactiques rendus inutiles par le choc d'un conflit direct.

Le modèle d'organisation proposé ici devrait permettre à un Black Bloc relativement petit (sans réserve) d'environ deux cents participants d'être deux fois plus efficace qu'il ne le serait considérant nos capacités actuelles. De même, un Bloc plus important d'environ 700 participants, disposant d'une force de réserve de 300 individus, verra sa capacité tactique accrue de façon importante.

Entraînement physique entre les actions

Il est de la plus haute importance que nous augmentions nos capacités physiques entre les actions grâce à des entraînements réguliers, des exercices de musculation et d'autodéfense. Pour l'instant, le Black Bloc est particulièrement faible à ces différents niveaux. C'est problématique au point où des individus musclés sont parfois soupçonnés d'être des agents infiltrateurs de la police. En fait, puisque nous serons amenés à nous défendre contre les forces de l'État, nous devrions prendre notre conditionnement physique à tout le moins aussi au sérieux que notre ennemi, et encore plus sérieusement que lui si possible. Les forces réactionnaires de la police et de l'armée sont conscientes de l'importance de la force physique pour leur propre efficacité. Nous devrions l'être tout autant.

Actions préventives

Les forces de l'État sont bien connues pour mener des actions préventives contre des manifestants avant leurs actions. Ils nous infiltrent régulièrement et procèdent à des arrestations avant même que les manifestations et les actions de désobéissance civiles ne débutent[9]. Les jours de manifestation, leur mobilisation tactique commence bien avant le lever du soleil. De façon à contrer cet avantage, des groupes restreints de participants aux actions du Black Bloc devraient lancer des actions indépendamment, l'action la plus efficace étant le sabotage d'équipement de la police – ou de la Garde nationale si nécessaire. Si l'un des principaux avantages des forces de l'État réside dans leur mobilité mécanisée, nous devrions conséquemment frapper leurs moyens de transport par des actions clandestines.

De telles actions devraient être coordonnées volontairement par des groupes d'affinité séparés. Ces groupes devraient être en petit nombre par rapport à l'ensemble du Bloc, et ne devraient pas prendre part aux actions du Bloc dans les événements des jours suivants. De plus, l'identité et l'objectif de ces groupes devraient rester absolument secrets pour le Bloc dans son ensemble. Il ne peut y avoir de chaîne de commandement entre ces groupes et le reste du Bloc. Ils doivent agir totalement seuls, de façon volontaire, et selon des modèles d'organisation qu'ils choisiront en autant qu'ils respectent les principes anarchistes.

Une telle action clandestine, effectuée de façon efficace, a la possibilité de perturber considérablement les capacités de l'ennemi et peut donc donner un avantage appréciable au Black Bloc.

Préparations en vue d'une intensification de la répression de l'État

Plus notre mouvement sera fort, plus grands seront les risques que l'État criminalise l'anarchisme en général et le Black Bloc en particulier. En ce moment même, nous devons prendre pour acquis que le FBI a déjà constitué des dossiers pour nombre d'entre nous. Nous devons également prendre pour acquis que plusieurs de nos organisations et collectifs anarchistes locaux sont déjà sous surveillance et que des infiltrateurs travaillent présentement à s'immiscer dans nos rangs. Dans certains cas, nous n'avons aucun doute qu'ils y sont déjà parvenus[10].

De plus, nous devons nous attendre à une réaction de plus en plus violente de l'État à notre égard au fur et à mesure que notre mouvement passera à des étapes plus sérieuses. C'est ce qui est arrivé très clairement vers la fin des années 1960 et nous devons bien comprendre que c'est ce qui arrivera à nouveau. Cette tendance se manifeste déjà clairement. Le tir sur trois manifestants à Göteborg et le meurtre de Carlo à Genes en constituent des preuves irréfutables.

En tant que révolutionnaires dévoués et dotés d'un sens pratique, nous devons nous préparer à toutes ces éventualités. Ceci n'est pas un jeu. Nous devons donc former des réseaux clandestins qui devraient nous permettre de continuer à exister en tant que force de combat clandestine lorsque les circonstances l'exigeront. Une telle force clandestine doit disposer, entre autres, d'identités d'emprunt, de lieux de retraite de confiance, d'amis placés dans des positions stratégiques, d'accès à du matériel de première nécessité (ex. nourriture, médicaments, etc.). Enfin, cette force doit savoir comment continuer nos activités militantes de façon clandestine.

La réalité est simple : nous devrons être prêts à faire face au défi de l'État par d'autres moyens militants, concrets mais cette fois clandestins lorsque nos actions que nous menons au grand jour s'attireront pour seule réponse les coups de fusil de la police, la mise en détention massive et à long terme de nos militants, ou encore lorsque nos actions ne seront rien de plus qu'une comédie socialement acceptable intégrée au spectacle universel.

De plus, il doit être bien compris que le temps manque pour organiser les ressources nécessaires lorsque surgissent des situations de crise extrême du type de celle qui nous forcerait à passer dans la clandestinité. De même, il sera impensable d'organiser une force de combat populaire d'envergure lorsque surviendra le grand effondrement du système dominant présent. Nous devons donc nous préparer maintenant pour ce que nous reconnaissons comme une conséquence inéluctable de nos actions révolutionnaires. Alors, nous devrons attaquer la tête du Leviathan et nous l'attaquerons à partir de l'ombre, puis à nouveau au grand jour et face-à-face : la révolution sociale est la seule conséquence possible.

Ici, nous aimerions vous rappeler que les armes à feu sont encore légales – c'est du moins ce que dit les textes de loi – et qu'il est facile de s'en procurer aux États-Unis.

Le développement de notre compréhension sociale et politique

Entre deux actions, nous devons pratiquer une autodiscipline en ce qui a trait à nos études soutenues des idées sociales et politiques, tant d'un point de vue pratique que théorique. Le mouvement anarchiste est poussé par « l'instinct de se rebeller », comme le disait Bakounine, mais également par l'émergence consciente d'un peuple révolutionnaire. Les individus qui forment le Black

Bloc devraient être des exemples non pas seulement du courage anarchiste dans la lutte, mais aussi de l'éveil de la conscience anarchiste. Nous devrions étudier l'histoire de la Commune de Paris, de l'Ukraine révolutionnaire, de Cronsdat, de l'Espagne ainsi que de la révolte de mai 1968 à Paris. De plus, nous devrions lire les écrits de Bakounine, Kropotkine, Makhno, Emma Goldman, Meltzer, Guy Debord et Bookchin, pour n'en nommer que quelques-uns.

Bref, nous devons élargir nos connaissances de façon à transcender complètement l'endoctrinement oppressif que l'État perpétue à notre endroit depuis le jour de notre naissance. Nous devons exercer notre capacité à comprendre, de manière à développer notre conscience créatrice. Enfin, nous devons tendre à développer plus à fond une théorie anarchiste qui soit directement utile pour analyser et réagir aux modalités du néocapitalisme contemporain, c'est-à-dire la marchandisation radicale et le consommateurisme.

Conclusion

En conclusion, ce communiquer est proposé avec l'intention d'encourager le développement constructif de nos capacités révolutionnaires. Il n'est pas pensé comme une règle à suivre mais bien plutôt comme une proposition qui devrait faciliter un dialogue positif à l'intérieur du mouvement. Ceci dit, nous espérons qu'au moins quelques suggestions présentées seront sérieusement discutées puis adoptées par nos camarades anarchistes du Black Bloc.

Nous vous encourageons à reproduire et à distribuer ce communiqué, en autant que vous ne le faites pas dans le but d'en tirer un profit capitaliste.

En toute solidarité,

LADY, AUGUST SPIES, MUFFIN D'ANTI-RACIST ACTION ET DAVID O, (O VAN), X, NATASHA DU COLLECTIF ANARCHISTE DE GREEN MOUTAIN.

APPEL POUR UN BLACK BLOC AU SOMMET DES AMÉRIQUES

Lors d'une réunion du G20 à Montréal à l'automne 2000, quelques centaines de citoyens se réunissent dans le centre-ville pour dénoncer la mondialisation capitaliste. Un petit Black Bloc intervient alors de façon un peu malhabile: ses membres lancent en direction des policiers des projectiles dont certains tombent sur d'autres manifestants... Le Black Bloc se dissout aussitôt, laissant des manifestants seuls aux prises avec les policiers qui chargent alors à cheval...

Le Black Bloc avait auparavant distribué un appel à former des Black Blocs lors du Sommet des Amériques, qui se tiendra à Québec en avril 2001, et où 34 chefs d'État des Amériques (le Cubain Fidel Castro étant le seul exclu) devaient discuter à huis clos d'une éventuelle zone de libre-échange économique. Cet appel, qui sera également diffusé sur Internet, est révélateur à plus d'un égard. Premièrement, il montre bien qu'il n'y a pas un *Black Bloc, mais* plusieurs *Black Blocs qui se forment à l'occasion d'événements spécifiques et qui restent tous indépendants les uns des autres. Deuxièmement, ce texte au style broullon met en relief le jugement que les membres de ce Black Bloc portent sur le monde économique et politique qui les entoure. Le ton, très critique, dépeint un monde où la lutte est la seule issue. Au Sommet de Québec, en avril 2001, il y aura effectivement des Black Blocs, mais aussi un grande diversité de groupes d'affinité qui s'en prendront au périmètre de sécurité, aux policiers et à quelques succursalles de banque.*

(FDD)

APPEL POUR UN BLACK BLOC POUR LE SOMMET DES AMERIQUES*

Les grands de ce monde ont encore décidé de se partager les richesses, notre travail et d'imposer des nouvelles conditions de vie, celles-ci encore plus minables qu'elles ne l'étaient. Les coupures dans les programmes sociaux des dernières années n'étaient que la pointe de l'iceberg; l'ouverture des marchés sera la seconde phase de ce qui se nomme aujourd'hui néolibéralisme, de ce qu'on appelle quelques fois mondialisation.

L'appel du Black Bloc est un appel à la résistance, à la révolte. Tenons-nous debout face à la menace capitaliste. Agissons, répliquons. Le temps où nous subissions sans pouvoir agir est révolu. Le Sommet des Amériques voudra vendre au plus offrant la population entière d'un continent, la solder à rabais pour les capitalistes de ce monde. Nous serons là, dans la rue, à nous battre pour ce

* Source: Agence électronique d'information anarchiste A-infos : www.ainfos.ca (29 octobre 2000)

que nous considérons comme nos droits. Nous sommes le Black Bloc, nous serons le Black Bloc à Québec.

Contre le fonctionnement autoritaire et élitiste des Sommets bourgeois, nous sommes la base qui résiste. Formons nos groupes d'affinité, préparons-nous, il n'y a pas une minute à perdre. Résister, c'est exister de nouveau, ailleurs, dans une nouvelle vie, celle que nous avons choisie de créer, pas celle imposée par d'autres, par le haut, par les exploiteurs et les affameurs de ce monde.

L'Amérique est grande, diversifiée, pleine de belles choses et de gens. Le capitalisme veut en faire un vulgaire terrain de chasse au profit, à l'argent. Partout, au Nord comme au Sud, nous savons que mondialisation rime avec destruction. Qu'il s'installe dans notre voisinage une nouvelle usine, et voilà qu'apparaît la pollution, que toute la région devient dépendante de cette grande entreprise, du capitalisme triomphant, d'une seule personne : le patron. Il y a des milliers d'exemples de destruction d'une économie locale, lorsque les grandes corporation viennent s'y installer ; c'est ce qu'on appelle le néolibéralisme.

Mais nous ne voulons pas revenir en arrière. Il est trop tard. La vieille économie, locale et marchande, n'est pas meilleure que la nouvelle économie mondialisée ; elle est simplement d'une autre échelle. Ce qui diffère, c'est que le capitalisme des années 2000 n'est plus réformable. Le retour à l'État providence est impossible. Nous n'avons que deux choix : l'accepter et se résigner, ou le combattre, d'une lutte acharnée mais qui ne pourra qu'être victorieuse si seulement elle s'étend dans la population.

Pour y arriver, nous jouons un rôle important. En tant que Black Bloc, nous incarnons une présence révolutionnaire, nous présentons une alternative pour lutter. L'exemple répété de la résistance et du combat ne peut être que bénéfique. Nous montrons ainsi qu'il n'est pas impossible de vouloir autre chose et que le capitalisme n'est pas éternel, pas plus que l'État ou le patriarcat, que nous combattons de toutes parts.

Voila pourquoi nous nous organisons aujourd'hui. Nous avons décidé d'appeler à la formation d'un Black Bloc lors de la conférence qui signera[11] les accords de la ZLÉA, accords que nous savons être néfastes. La conférence des Amériques de Québec 2001 sera notre prochain terrain de lutte. Nous nous plaçons dans la même perspective que certaines actions récentes telles que Seattle, Washington, Prague – pour n'en nommer que quelques-unes. Nous ne nous considérons pas comme les dirigeants du mouvement, nous ne faisons que vous proposer de vous organiser aussi. Il ne tient qu'à chacun et chacune de nous de se regrouper de façon autonome, affinitaire, tout en restant unis sur le terrain. C'est l'essence même du Black Bloc.

Formons nos groupes d'affinité.
Oui à l'organisation autonome.
Formons nos Black-Blocs.

II

LES BLACK BLOCS EN DÉBAT

SACCAGER OU CONSTRUIRE UN MOUVEMENT

Les Black Blocs et leurs alliés se sont attirés des attaques souvent virulentes de toutes les parties du spectre poltique. Plusieurs condamnent les Black Blocs sans pitié, jugeant leurs actions criminelles, amorales ou totalement inefficaces. Le texte repris ici, signé par Michæl Albert, critique les Black Blocs de façon nuancée. Il encourage les militants à réfléchir aux leçons de l'histoire du mouvement de contestation de la fin des années 1960. Michæl Albert est lui-même un militant influent de la gauche américaine depuis les années 1960, alors qu'il luttait contre la guerre du Vietnam. Il anime notamment l'important site Internet Zmag (www.zmag.org). Il a développé une proposition d'économie d'inspiration libertaire, connue sous le nom d'économie participative (Écopar)[1].

Albert considère les Black Blocs avec sympathie mais il ne peut s'empêcher d'être critique de leurs actions. Son texte, écrit après Seattle, reste encore aujourd'hui l'une des prises de position critique la plus sérieuse à l'égard du Black Bloc. Sans nier que la violence des Black Blocs soit infiniment moins destructrice que celle du capitalisme, et sans nier qu'il puisse parfois être nécessaire d'avoir recours à la force pour contester l'ordre établi, Albert n'en critique pas moins les Black Blocs pour avoir manqué de jugement à Seattle: leur saccage a sali l'image du mouvement et en a détourné certains citoyens qui étaient peut être prets à s'y joindre. Comme Susan George d'ATTAC, Michæl Albert reproche aussi aux Black Blocs d'agir en marge du mouvement et de détourner le message des manifestations par leurs actions violentes. Du coup, les Black Blocs seraient antidémocrates car insensibles aux voeux de la majorité des manifestants[2].

Ce texte – qui doit être lu en parallèle au Communiqué du collectif-ACMÉ – est emblématique des critiques adressées du côté de la gauche modérée aux radicaux des Black Blocs et permet de se faire une bonne idée des débats entourant ce phénomène. Il est intéressant de noter que certains reproches lancés par Albert, concernant, par exemple, le manque de solidarité des Black Blocs avec les autres manifestants, ne pourraient s'appliquer aux manifestations de Washington D.C. ou de Québec, là où précisément les Black Blocs se portèrent à la défense des autres manifestants.

(FDD)

SACCAGER OU CONSTRUIRE UN MOUVEMENT*

Voici une contribution au débat post-Seattle qui laisse plusieurs personnes perplexe au sujet des tactiques d'un mouvement social ou politique. En guise d'entrée en matière, il va de soit, je l'espère, qu'en ce qui a trait à la violence, tout le monde s'entend pour dire que la faction violente à Seattle était composée d'abord et avant tout par le Président des États-Unis, son entourage, les autres chefs d'État, les dirigeants de l'OMC, etc. La violence déclenchée par un trait de plume qui provoque la pauvreté surpasse toujours largement celle de la brique lancée dans une vitrine – sans compter que la première entraîne et maintient l'injustice alors que la seconde la combat. De fait, dans un vaste débat public, en ce qui concerne la morale et les faits statistiques, il resort que la seule violence physique dans les rues de Seattle, mis

* Michæl Albert, « On Trashing and Movement Building », sur le site Internet : www.zmag.org/on_trashing.htm. Merci à M. Albert pour avoir accordé la permission de reprendre ce texte. Traduction de Thomas Déri et Francis Dupuis-Déri.

à part la couverture des médias de masse, était celle perpétrée par la police et la garde nationale et ordonnée par l'État. Sur une échelle de mesure de la violence, le niveau de violence des saccages de vitrines sera toujours largement dépassé par le niveau de violence du poivre de Cayenne, des balles de caoutchouc et des matraques ciblant les citoyens qui voulaient se dissocier des infâmes ordres du jour économiques. Mais l'écart est beaucoup moins marqué sur une échelle de mesure des motivations. Le débat public au sujet des tactiques du mouvement prendra une ampleur démesurée en raison de la désinformation des médias de masse manipulateurs. La question des tactiques à adopter telle qu'elle se pose au sein des mouvements sociaux et politiques retient cependant l'attention en raison de ses implications éventuelles sur les attitudes des militants envers le vandalisme, l'attaque contre la propriété, la désobéissance civile et d'autres tactiques possibles lors de manifestations aussi bien que la participation même à des manifestations. Cela étant dit...

Toute discussion valable au sujet des tactiques à adopter par un mouvement doit porter sur leur efficacité en terme d'élargissement du mouvement et sur leur capacité à permettre de remporter des gains à court terme tout en posant des jalons pour atteindre des objectifs à plus long terme. Évaluer des tactiques consiste à juger de leur capacité à faire prendre de l'ampleur au mouvement ou à le faire décliner et à augmenter ou à diminuer la possibilité d'atteindre immédiatement certains buts.

J'ai déjà participé à des manifestations dans lesquelles le recours au vandalisme découlait naturellement de la logique et des buts de la manifestation elle-même – par exemple, les attaques préparées à l'avance contre les bureaux de recrutement ou les bâtiments de la ROTC. J'ai aussi participé à des manifestations où le vandalisme était contre-productif et irresponsable – par exemple, parce qu'il mettait en danger des innocents et parce qu'il atténuait le message et l'esprit de solidarité que voulait véhiculer la manifestation. Qu'en était-il à Seattle ?

Seattle fut la scène d'une très grande manifestation et ceux qui avaient travaillé sans relâche à l'organiser étaient partisans de défilés et de rassemblements légaux ainsi que d'actes de désobéissance civile illégaux mais non-violents. Plus de 70 000 personnes prirent part à cette manifestation. Le succès des premiers jours fut extraordinaire et des liens de respect mutuel se tissèrent dans un ensemble de groupes généralement fragmentés (les Tortues et les Teamsters, les Lesbian Avengers et les Travailleurs de l'acier). L'idée que la désobéissance civile irait en grandissant réjouissait les esprits et l'optimisme était contagieux. Il y avait de plus en plus de participants à la manifestation et à la surprise générale, la réunion officielle de l'OMC était déjà sérieusement compromise. La police commença à utiliser des gaz lacrymogènes, des matraques et des balles de caoutchouc. C'est à ce moment que les vandales très bien organisés commencèrent à saccager des vitrines. Après coup, ils se vantèrent qu'aucun d'entre eux n'avait été arrêté ou blessé grâce à leur mobilité et à leur organisation[2].

Je ne me souviens que trop bien de certaines manifestations des années 1960 au cours desquelles des dissidents surexcités injurièrent et provoquèrent la police puis s'éclipsèrent, laissant les autres manifestants, souvent des familles nullement préparées, faire les frais de la répression policière. J'ai toujours été beaucoup plus impressionné par le courage de ceux qui pouvaient facilement prévoir ce qui allait se passer et qui, au lieu de se défiler, utilisèrent leurs talents pour protéger les manifestants moins bien préparés, que par l'instinct de préservation de ceux qui entraînaient la répression puis quittaient la scène. Au cours des années 1960, cette dernière attitude de la part des vandales était le résultat d'un ensemble d'attentes et d'espoirs erronés. Je suppose qu'il en est de même aujourd'hui.

Imaginons qu'à Seattle, les différents groupes qui apportèrent leur énergie, leurs chants, leur créativité et leur militantisme lors des rassemblements, tout spécialement en participant à la désobéissance civile, ne saccagèrent pas des vitrines pour couronner le tout, mais qu'ils restèrent avec les autres pour les protéger, portant secours aux blessés et à ceux qui souffraient d'émanations de gaz[3]. Ceci aurait couronné leur participation à la manifestation, sinon plutôt positive, par un comportement exemplaire en faveur de leurs camarades, au lieu de ces attaques de vitrines contre-productives. L'anarchisme associé à cette action aurait alors évoqué un militantisme créatif teinté d'humanisme et de solidarité, au diapason avec l'ensemble de l'implication anarchiste dans les manifestations de Seattle.

Est-ce que ceci veut cependant dire qu'il n'y a jamais place pour la confrontation et la destruction de la propriété ? Bien sûr que non, du moins pas de mon point de vue. Ce genre de comportement est approprié en temps et lieux, c'est-à-dire quand il est approuvé par la majorité et qu'il augmente la puissance de la protestation plutôt que de servir de prétexte pour s'en désolidariser ou pour devenir hostile à la manifestation. Jusqu'au moment où le vandalisme débuta, les anarchistes à Seattle apportèrent de l'énergie, de la créativité, de l'art, de la musique et un militantisme souvent nécessaire, du courage et de la détermination à plusieurs lieux de rassemblement. Ils relevèrent le moral des manifestants et jouèrent un rôle très positif en accord avec la ligne de conduite définie par les organisateurs de la manifestation. Le problème ne survint qu'au moment où quelques-uns d'entre eux commencèrent à saccager des vitrines, transgressant ainsi les normes de la manifestation. Et il y a lieu de noter que ce n'est pas seulement le vandalisme qui peut être ou non justifié. Il en va de même de la désobéissance civile, parfois tout aussi malvenue. Elle aussi peut ne pas respecter l'esprit de ceux qui ont organisé une manifestation, de telle sorte que s'engager spontanément dans la désobéissance civile viole la logique de l'événement et contredit ce qui avait été annoncé, ce qui a pour effet de miner la solidarité plutôt que de l'encourager et d'effaroucher les gens qui développaient une attitude de dissident. En d'autres occasions, cependant, la désobéissance civile est nécessaire et elle est même un gage de succès, comme à Seattle, par exemple. Dans le même ordre d'idées, une simple marche de protestation peut parfois être risquée alors qu'il s'agit de la tactique idéale à adopter dans d'autres cas.

En d'autres termes, c'est rarement une question de principes stricts que de savoir quelles tactiques sont justifiées ou non au cours d'une manifestation et vont aider ou non un mouvement à grandir et à se renforcer plutôt que de nuire au mouvement ainsi qu'à sa cause. Tout cela dépend presque toujours de la façon dont la manifestation en question a été organisée et annoncée, qui y participe, quels sont les espoirs et les craintes qui y sont associés, quelles sont les possibilités d'avoir une influence sur les changements sociaux et comment la manifestation et les tactiques employées peuvent être perçues et exercer un effet sur les citoyens qui ne sont pas impliqués. Malheureusement, à partir du moment où des militants adoptent une attitude de vandales, ils ne tiennent pas compte de tous ces facteurs. Vandaliser est bien, pensent-ils tout à leur exubérance, puisque les cibles sont après tout des corporations criminelles.

Leur causer des dommages serait donc un pas vers leur démystification et leur destruction. N'importe qui s'opposant à de telles actions ne peut être qu'un allié des corporations, clament-ils. L'esprit militant ne doit plus chercher à départager la conséquence de diverses tactiques, mais seulement identifier les cibles à attaquer. Or l'acmé[4] de la sagesse ne consiste pas à déduire que McDonald's et Nike constituent de meilleures cibles que les passants ou une épicerie familiale. En ce qui concerne Seattle, et en dépit d'autres contributions infiniment valables à la manifestation, le nombre relativement minuscule de participants qui sont parvenus à imposer leurs tactiques à une démonstration de masse ont agit de façon antidémocratique. Cela ne devrait pas se reproduire.

Avant même que le saccage ne se produise, les actions de Seattle avaient déjà complètement coupé l'élan de l'OMC. Elles avaient déjà mis en évidence l'esprit créatif des militants, leur sens de l'organisation et leur connaissance. Elles avaient déjà permis de créer des liens et de nouvelles alliances entre différents groupes. Elles avaient déjà réussi à combiner plusieurs types de tactiques créatrices et militantes en un mélange de support mutuel. Les discours aux rassemblements avaient déjà, à plusieurs reprises, démontré les liens évidents entre l'opposition au libre-échange et l'opposition aux libres marchés ainsi qu'entre l'opposition au profit à l'opposition au capitalisme en soi. La table était mise pour que chacun se mette à la tache que nous devons accomplir. Le vandalisme qui vint s'ajouter à tout cela n'a eu aucun effet positif. Il n'a pas permis d'obtenir plus de visibilité utile. Il n'a pas élargit le nombre de personnes participant à la manifestation ni des sympathisants à sa cause. Il n'a pas permis de diffuser plus d'information substentielle ni au centre ni à gauche. Il n'a pas respecté la vaste démocratie. Ce qu'il a fait, par contre, c'est de (a) détourner l'attention des problèmes fondamentaux; de (b) servir de prétexte à la répression qui autrement aurait été perçue comme frappant une opposition légitime; et (c) peut-être plus important encore, provoqué le sentiment que la dissidence n'est pas constituée d'acteurs se respectant mutuellement, mais plutôt d'acteurs – ou à tout le moins quelques uns – peu sympathiques et s'arrogeant le droit de violer antidémocratiquement les intentions et les choix de la majorité.

Comprenons-nous bien au risque de nous répéter encore une fois: il ne s'agit pas de décider si le saccage en soit est bon ou mauvais. Supposons que les saccageurs, au lieu de briser des vitrines, aient provoqué un esprit de corps et protégé des individus en aidant les manifestants victimes des assauts de la police. Supposons que des centaines et des milliers d'étudiants et de travailleurs de plus aient rejoint les rangs de la désobéissance civile. Supposons que l'État ait utilisé des gaz lacrymogènes et des charges de policiers à répétition pour annihiler ces efforts. Et supposons, dans ce contexte, qu'une bonne partie des habitants de Seattle et de l'« auditoire » du pays se soient sentis solidaires des manifestants qui enfreignent la loi. Maintenant imaginons, toujours dans ce contexte, que la police charge et que les manifestants, au lieu de fuir, décident de défendre leurs positions. Encore mieux, supposons qu'ils décident qu'il était temps de repousser les policiers. Imaginons que cela ait entraîné des batailles, que des voitures soient renversées, que des barrières soient dressées, etc. Les dommages à la propriété, dans ce genre de mêlées, dépasseraient largement ceux commis à Seattle et les manifestants se seraient sans doute attaqué à d'autres cibles que les entreprises, causant même des dommages à la propriété d'innocents. On peut dire que tout cela n'apporterait rien de bon, mais je dirai que cela produirait une réaction complètement différente et procéderait d'une autre logique que le saccage commis à Seattle. Au lieu de le diminuer, cela augmenterait le nombre de mouvements et de groupes qui s'impliqueraient dans la contestation. Par conséquent il y a un jugement de valeur à faire lorsqu'on décide d'adopter une tactique en particulier.

Une tactique est parfois sage, d'autres fois la même tactique est inappropriée. Ce qui était mauvais en ce qui concerne les militants qui ont eu délibérément recours au vandalisme à Seattle était que (1) en dépit de leurs contributions valables et constructives à la manifestation, leur recours au vandalisme constituait une grave erreur de jugement. De plus, (2) ils ont cru de façon égocentrique que leur seul jugement suffisait à justifier leur transgression sentationelle des normes acceptées par les dizaines de milliers d'autres manifestants.

Saccager des vitrines ne suffit pas pour changer la société. Il s'agit plutôt de s'engager dans un processus qui consiste à éveiller les consciences et à former des mouvements pour ensuite obtenir, au profit des différents groupes, des gains qui permettront à leur tour de créer des conditions favorables pour d'autres victoires qui mèneront à des changements permanents des institutions en place. Cultiver la confiance et la solidarité d'un mouvement d'ensemble – et pas uniquement d'un petit groupe d'affinité, mais bien d'un vaste mouvement d'ensemble – est une partie importante de ce programme. La cohérence, la confiance et la solidarité ne sont pas renforcées quand de petits groupes vont à l'encontre du programme d'immense manifestations de façon antidémocratique pour suivre leurs inclinaisons personnelles, même quand ils invoquent des raisons qui semblent valables pour agir de la sorte, ce qui n'est pas le cas en ce qui concerne Seattle.

Le fait que les entreprises soient si méprisables que les attaquer soit justifié si cela a des effets positifs ne veut pas dire que les attaquer soit justifié si cela a des effets néfastes. Quand j'étais étudiant au collège et que je militais contre la guerre du Vietnam, je prononçais de longues conférences devant de vastes auditoires très animés puis je répondais aux questions. C'était une époque agitée et l'on me demandait souvent, par exemple: « Est-ce que vous brûleriez la bibliothèque de l'école si cela pouvait mettre fin à la guerre? » Ma réponse était toujours à peu près la même: « Bien sûr, sans hésitation. Quel être, même totalement amoral, ne brûlerait pas une bibliothèque si cela pouvait sauver la vie d'un million d'êtres humains? Mais il n'y a absolument aucun rapport entre l'action de brûler une bibliothèque et celle d'aider les victimes de l'impérialisme américain en Indochine, de même qu'il n'y a aucun rapport entre brûler une bibliothèque et modifier la trame sociale de façon à ce que les États-Unis ne s'engagent plus dans de telles actions. Pire encore, une telle action produirait exactement l'effet contraire et serait bénéfique à ceux qui se livrent à ces odieux bombardements. Pouvons-nous maintenant laisser les faux-semblants de côté et revenir à des questions plus sérieuses et nous demander, par exemple, comme faire comprendre à de nouveaux électeurs les méfaits de la guerre et comment constituer un mouvement de résistance sérieuse et soutenue ? ».

En ce temps là, c'était souvent des esprits très brillants et très structurés qui se laissaient entraîner dans des groupes du genre de Weatherman[5]. Ce qui était remarquable, c'est que ces mêmes personnes prenaient beaucoup de précautions et agissaient avec prudence dans plusieurs domaines mais invoquaient des professions de foi étranges et alambiquées pour justifier leur choix de mode de vie et de « militantisme ». J'espère sincèrement que nous n'aurons pas à être témoin et à subir une répétition de telles scènes. Les événements de Seattle eurent un retentissement considérable en montrant clairement à des dizaines de millions de personnes qu'il existait une vaste opposition et en faisant prendre conscience aux gens aux États-Unis et dans le monde du rôle joué par l'OMC et en conséquence qu'il était important qu'on s'y arrête et qu'on y réfléchisse. Ils ont permis également de poser les bases pour de futures actions militantes efficaces menées par de nombreux et puissants groupes ayant la volonté de se respecter mutuellement, de former des alliances et de poursuivre ensemble de multiples objectifs et d'adopter des approches tactiques diversifiées. Tout cela fut réalisé non pas grâce au vandalisme, mais en dépit de lui.

Quelques uns des arguments avancés par les défenseurs du vandalisme me font penser à l'un de mes amis, très brillant et très convaincant, qui vint se faufiler chez moi une nuit de 1969, vers deux heures du matin, avec trois ou quatre autres camarades. Il me dit : « Nous sommes le Viêt-cong, nous avons besoin d'une place pour la nuit... la révolution est imminente, nous sommes l'armée clandestine. Ne t'en fait pas, retourne te coucher. Réveille-toi dans un monde nouveau. » Ils avaient pour excuse à leur délire qu'ils n'avaient pas à leur actif seulement une manifestation : ils étaient au contraire plongés dans le militantisme à plein temps depuis des années. Leur entourage était presque exclusivement formé de leurs amis engagés dans le mouvement Weatherman et ils s'étaient bâti un monde artificiel reposant sur des espoirs, de la rage, du désir, de la paranoïa, des souhaits et des rationalisations abstraites tellement détachées de la réalité qu'ils en devenaient complètement incapables d'être des agents de changement positif de la société tant qu'ils étaient dans cet état d'esprit. C'était dans bien des cas les esprits les plus brillants et les meilleurs cœurs de ma génération.

Ceux qui lisent cet essai ou d'autres à propos de Seattle ou encore qui y étaient et qui resentent de la colère à l'égard des militants qui se sont livrés au vandalisme doivent donc faire bien attention: ne soyez pas impitoyables et ne commettez pas l'erreur simpliste de croire que les vandales étaient par essence des individus apolitiques, sans idéaux, insensibles, indifférents ou, pire encore, des agents de police. La vie n'est pas si simple. Ceux avec qui vous n'êtes pas d'accord ne sont pas toujours des êtres répugnants. Dans la très grande majorité des cas, il s'agit de gens qui participent au mouvement et même des meilleurs parmi ceux qui y participent. Pour tous ceux qui encouragèrent le vandalisme ou y prirent part, il ne sert absolument à rien de discréditer ceux qui n'y participèrent pas, et vice versa. Il existe un malentendu des deux côtés, mais la distance à franchir pour atteindre l'unité et pour progresser est moindre que l'écart qui séparait les « tortues » et les Teamsters avant Seattle. Nous devrions tous êtres capables de combler ce fossé et de nous mettre d'accord sur les raisons et les motifs qui nous poussent à choisir une tactique – sans pour cela être toujours d'accord, bien sûr, sur le choix et les jugements portés sur chacune des tactiques en particulier – et spécialement de respecter les choix collectifs au cours des manifestations. Cela étant fait, nous pouvons aller à Philadelphie, New York, San Francisco, Chicago, Denver, Miami, Los Angeles, Boston, Cleveland, Atlanta, Minneapolis, Détroit,... en étant unis et sans avoir peur les uns des autres.

J'espère que ceux qui ont pris part au vandalisme ne verront pas dans cet essai une façon de dénigrer leurs aspirations et leurs potentialités. Je souhaite plutôt que vous considériez sérieusement qu'avec les meilleures intentions du monde, vous ne faîtes peut être que répéter par erreur un acte de l'histoire du mouvement des années 1960 – l'acte le plus triste et le moins utile – et qu'en réagissant, vous évitiez les tentations et la confusion qui ont ensorcelé plusieurs des meilleurs éléments de ma génération.

COMMUNIQUÉ DU BLACK BLOC DU 30 NOVEMBRE PAR LE COLLECTIF ACMÉ

Pour plusieurs, la «Bataille de Seattle» marque à la fois la naissance du mouvement «antimondialisation» et des «Black Blocs». Le 30 novembre 1999, des dizaines de milliers de citoyens vont manifester et parvenir à perturber le protocole officiel d'une importante rencontre de l'Organisation mondiale du commerce. Les policiers interviennent de façon particulièrement brutale alors que des citoyens forment des Black Blocs et s'en prennent à des commerces et à des banques. Les images de policiers en tenue anti-émeute, lourdement armés, ainsi que celles de citoyens masqués, vêtus de noir et brandissant des drapeaux noirs, vont faire le tour du monde et susciter de vifs débats.

Le Collectif ACMÉ, un groupe d'affinité ayant participé aux Black Blocs de Seattle, a rédigé et diffusé via Internet un communiqué par lequel il explique les motivations du groupe. Le Collectif ACMÉ répond à plusieurs critiques, contre vérités et mensonges émis par les détracteurs des Black Blocs suite à la Bataille de Seattle. Ce texte est en quelque sorte le premier écrit majeur rédigé par et pour les Black Blocs.

Le Collectif ACMÉ critique les manifestants «non violents» pour leur hypocrisie. Il rappelle que la plupart des membres du Black Bloc connaissaient non seulement les enjeux économiques, politiques et culturels liés à la mondialisation capitaliste mais qu'ils ont aussi participé à l'organisation des manifestations. Il réplique également à l'accusation régulièrement adressée à des Black Blocs selon laquelle leurs membres viendraient d'«ailleurs». À Seattle, on leur reprochait d'être des résidants d'Eugène, une petite ville de l'Orégon... À Gênes, on dira qu'il y avait finalement bien peu d'Italiens parmi les Black Blocs... Curieux argument, qui fonde la légitimité d'une manifestation sur l'enracinement des participants à un territoire précis. Le Collectif ACMÉ précise que ses membres venaient d'un peu partout, dont Seattle.

Le groupe justifie enfin la destruction de la propriété privée: «Nous prétendons que la destruction de la propriété n'est pas une action violente à moins qu'elle détruise des vies ou provoque des souffrances. D'après cette définition, la propriété privée – particulièrement celle des entreprises multinationales privées – est en elle-même infiniment plus violente que n'importe quelle action menée contre elle.» Le Collectif ACMÉ saura s'attirer la sympathie de certains anarchistes, dont ceux de la Fédération des communistes libertaires du Nord-est

Américain (NEFAC) qui diffusera une «Déclaration de solidarité avec le "Black bloc anarchiste" de Seattle», dans lequel sont cités de longs extraits de la critique violence qu'exerce la propriété privée et le capitalisme[6].

(FDD)

COMMUNIQUÉ DU BLACK BLOC DU 30 NOVEMBRE PAR LE COLLECTIF ACMÉ*

Un communiqué en provenance d'une des sections du Black Bloc du 30 novembre à Seattle

Le 30 novembre 1999, des groupes d'individus formés en Black Blocs ont attaqué plusieurs grandes compagnies qu'ils avaient pris pour cibles dans le centre-ville de Seattle. On retrouvait parmi celles-ci (pour n'en nommer que quelques unes) : Fidelity Investment (actionnaire majoritaire d'Occidental Petroleum, qui le fléau de la tribu U'wa en Colombie) ; Bank of America, US Bankcorp, Key Bank et Washington Mutual Bank (institutions financières qui jouent un rôle clé dans l'accroissement de la répression organisée par les grandes compagnies) : Old Navy, Banana Republic et GAP (entreprises de

---

* Collectif ACMÉ, *N30 Black Bloc Communique by ACME Collective: A Communique From One Section of the Black Bloc of N30 in Seattle*, www.zmag.org/acme.htm. Traduit de l'anglais par Thomas Déri et Francis Dupuis-Déri.

la famille Fisher, qui ont saccagé les forêts du Nord-Ouest des États-Unis et réduit en esclavage les travailleurs des usines à sueur) ; Nike Town et Levi's (dont les produits trop chers sont fabriqués dans les usines à sueur) ; McDonald's (colporteur esclavagiste de fast-food et responsable de massacres d'animaux et de la destruction des forêts tropicales transformées en pâturage) ; Starbucks (colporteur d'une drogue récoltée à des salaires de famine par des fermiers obligés au cours du processus de détruire leurs propres forêts) ; Warner Bros (cartel de média) et Planet Hollywood (parce que c'est Planet Hollywood).

Cette activité dura plus de cinq heures et consista à défoncer des devantures et à casser des portes et des vitrines. Des frondes, des distributeurs de journaux, des marteaux, des pinces-monseigneur et des pieds-de-biche furent utilisés de façon stratégique pour accéder aux biens des entreprises multinationales (l'un des trois Starbucks et Nike Town furent pillés) et pour les détruire. Des œufs remplis de solution de gravure à l'eau-forte, des ampoules de peinture et des canettes de peinture en aérosol furent aussi utilisés.

Le Black Bloc était un rassemblement librement organisé de groupes d'affinité et d'individus. Ils se répandirent dans le centre-ville commercial, attirés par des boutiques mal protégées aux enseignes symboliques et poussé par la vue des policiers en formation. Contrairement à la grande majorité des manifestants arrosés de poivre de Cayenne, de gaz lacrymogène et atteints par des balles de caoutchouc à plusieurs reprises, la plupart des membres de notre section du Black Bloc ne subirent pas de blessures sérieuses parce qu'ils évitaient d'affronter la police et se déplaçaient constamment. Notre esprit de corps et de solidarité était impressionnant : nous sommes restés entre nous, en rangs serrés et en surveillant mutuellement nos arrières. Ceux qui étaient attaqués par les bandits fédéraux étaient libérés par des membres du Black bloc qui réagirent rapidement et de façon organisée.

La police de la paix

Malheureusement, la présence et l'entêtement de la « police de la paix » étaient très dérangeants. À pas moins de six occasions, de soi-disant militants « non violents » ont attaqué des individus qui s'en prenaient à la propriété des entreprises multinationales. Quelques-uns de ces militants soi-disant non violents allèrent même jusqu'à se tenir devant le supermarché Nike Town pour le protéger contre le Black Bloc qu'ils repoussèrent. De fait, ces soi-disant « gardiens de la paix » représentèrent une menace bien plus grande pour les membres du Black Bloc que les « gardiens de la paix » en uniforme accrédités par l'État et notoirement violents (des policiers en civil se sont même servis de la couverture des militants policiers de la paix pour prendre en embuscade ceux qui voulaient pratiquer la destruction de la propriété des multinationales).

Riposte au Black Bloc

La riposte au Black Bloc a mis en lumière les luttes intestines au sein de la communauté des « militants non violents » ainsi que certaines de leurs contradictions. Premièrement, notons l'hypocrisie de ces militants « non violents » qui s'en sont pris violemment aux manifestants masqués et vêtus de noir (plusieurs s'étant faits harcelés même s'ils n'avaient pas touché à la propriété des entreprises). Notons, de plus, le racisme de ces militants privilégiés qui peuvent se permettre d'ignorer la violence que subit, au nom des droits de la propriété privée, la nature et la plus grande partie de la société. Plusieurs des membres les plus opprimés de la communauté de Seattle se sont mobilisés parce qu'ils ont été inspirés par les saccages de vitrines, résultat qui n'aurait pu être obenu aussi facilement par le défilé de n'importe quels costumes de tortues de mer ou de marionnettes géantes (sans vouloir minimiser l'effet de ce genre d'actions dans d'autres communautés).

Dix mythes à propos du Black Bloc

Voici quelques réflexions qui permettront de dissiper les mythes à propos du Black Bloc du 30 novembre.

1. « C'est une bande d'anarchistes de la petite ville d'Eugène[7] ». Bien que quelques-

uns peuvent être des anarchistes d'Eugène, nous sommes venus d'un peu partout aux États-Unis, y compris de Seattle. De toute façon, la plupart d'entre nous sommes parfaitement au courant des enjeux locaux de Seattle (par exemple, l'occupation récente du centre-ville par quelques-unes des multinationales les plus infâmes).

2. « Ce sont tous des disciples de John Zerzan ». Un ramassis de rumeurs a circulé selon lesquelles nous étions des disciples de John Zerzan, un auteur anarco-primitiviste qui prêche la destruction de la propriété. Bien que quelques-uns d'entre nous peuvent apprécier ses écrits et ses analyses, il n'est en aucune manière notre chef ni directement, ni indirectement, ni philosophiquement, ni autrement.

3. « Le squat public est le quartier général des anarchistes qui ont détruit des propriétés le 30 novembre ». En fait, la plupart des squatters de la « zone autonome » sont des résidants de Seattle qui ont passé presque tout leur temps dans le squat depuis son ouverture le 28 novembre. Bien qu'ils puissent se connaître, les deux groupes ne se recoupent pas et on ne peut certainement pas dire que le squat est le quartier général de ceux qui ont détruit la propriété des entreprises.

4. « Ils ont envenimé la situation le 30 novembre et ils ont provoqué l'utilisation des gaz lacrymogènes sur des manifestants passifs et non violents ». Pour répondre à cette accusation, il suffit de noter que l'utilisation de gaz

lacrymogènes et de poivre de Cayenne et les tirs de balles de caoutchouc contre les manifestants ont débuté (à notre connaissance) avant même que les Black Blocs commencent à détruire la propriété. De plus, il faut éviter d'établir une relation de cause à effet entre la répression policière et quelque mode de protestation que ce soit, qu'elle soit accompagnée ou non de destruction de la propriété. La police est chargée de protéger les intérêts de la clique des riches et on ne peut imputer la violence à ceux et celles qui protestent contre ces privilégiés et leurs intérêts.

5. La critique inverse: « Ils ont réagi à la répression de la police ». Bien que cela représente une image un peu plus positive du Black Bloc, elle n'en est pas moins fausse. Nous refusons d'être faussement représentés comme une force purement réactionnaire. Bien que certains puissent ne pas saisir la logique du Black Bloc, il s'agit dans tous les cas d'une logique proactive.

6. « C'est une bande de garçons adolescents en colère ». Cette affirmation est totalement fausse, sans compter qu'elle révèle une inquiétante propension à discriminer selon le sexe et l'âge. La destruction de la propriété n'est pas le fait de machos bourrés de testostérone qui se défoulent et qui incitent à la violence. Ce n'est pas non plus le résultat d'une colère déplacée et réactionnaire. Il s'agit plutôt d'une action directe qui prend pour cible les intérêts des grandes corporations de façon spécifique et stratégique.

7. « Ils veulent seulement se battre ». Cette affirmation est totalement absurde, mais permet de passer sous silence l'âpreté avec laquelle les « gardiens de la paix » nous combattent. De tous les groupes engagés dans l'action directe, le Black Bloc est probablement celui qui avait le moins intérêt à se battre avec les autorités et nous n'avions certainement aucun intérêt à nous battre avec les autres manifestants anti-OMC (malgré de profonds désaccords au sujet des tactiques).

8. « C'est une bande d'émeutiers chaotiques, désorganisés et opportunistes ». Bien que plusieurs d'entre nous puissions passer des jours à discuter au sujet du sens à donner à l'adjectif « chaotique », nous n'étions certainement pas désorganisés. L'organisation était peut-être fluide et dynamique, mais elle était serrée. En ce qui concerne l'épithète « opportuniste », il faut se demander qui, parmi les milliers de personnes présentes à Seattle, ne voulaient pas profiter de l'opportunité offerte pour faire avancer leur cause. La question se pose alors à savoir si nous avons ou non contribué à créer cette opportunité et la plupart d'entre nous y ont très certainement contribué (ce qui nous amène au prochain mythe).

9. « Ils ne connaissent pas les véritables enjeux » ou « ce ne sont pas des militants qui ont travaillé à cela ». Bien que nous pouvons ne pas être des militants professionnels, nous avons tous travaillé en vue de cette conver-

gence à Seattle pendant plusieurs mois. Certains d'entre nous ont travaillé dans leur ville et d'autres se sont rendus à Seattle plusieurs mois à l'avance. Nous avons certainement été responsables de la venue de plusieurs centaines de manifestants qui descendirent dans les rues le 30 novembre, et seulement une très petite minorité d'entre eux avait un lien quelconque avec le Black Bloc. La plupart d'entre nous ont étudié les effets de l'économie globale, de la manipulation génétique, de l'extraction des ressources naturelles, des politiques de transport, des pratiques du travail, de l'élimination de l'autonomie des autochtones, des droits des animaux et des droits de la personne, et nous avons milité dans ces domaines depuis plusieurs années. Nous ne sommes ni mal informés, ni inexpérimentés.

10. « Les anarchistes masqués entretiennent le secret et sont antidémocratiques parce qu'ils veulent cacher leur identité ». Abordons cette question de face (avec ou sans masque) : nous ne vivons pas présentement en démocratie. Nous tenons à vous rappeler, au cas où les événements de cette semaine n'ont pas suffi à vous ouvrir les yeux, que nous vivons dans un État policier. Les gens nous disent que si nous étions persuadés d'avoir raison, nous ne nous cacherions pas derrière un foulard ou une cagoule. On prétend que « la vérité finira par triompher ». Bien que cela constitue un but fort louable, cela ne colle pas du tout à la réalité présente.

Ceux qui représentent le plus grand danger pour les intérêts du Capital et de l'État seront persécutés. Quelques pacifistes souhaiteraient que nous acceptions ces persécutions allègrement. Nous ne sommes pas si moroses. D'autres nous disent que c'est un sacrifice qui en vaut la peine. La persécution est pour nous notre lot quotidien et inévitable et nous chérissons les quelques libertés dont nous disposons : nous ne croyons pas que nous avons le privilège d'accepter la persécution comme un sacrifice. Accepter l'emprisonnement comme une forme de gloire trahit une mentalité de privilégiés du « premier monde ». Nous croyons que l'attaque de la propriété privée est nécessaire si nous voulons rebâtir un monde utile, salubre et agréable à vivre pour tout un chacun. Et ceci en dépit du fait que l'attaque à la propriété privée se traduit dans ce pays par des charges criminelles pour toute destruction de propriété de plus de 250 $.

Les motivations du Black Bloc

Puisque nos masques ne peuvent être transparents, le but premier de ce communiqué est de rendre les motivations du Black Bloc plus transparentes et de percer l'aura de mystère qui l'entoure.

À propos de la violence contre la propriété

Nous prétendons que la destruction de la propriété n'est pas une action violente à moins qu'elle ne détruise des vies ou provoque des souffrances. D'après cette définition, la propriété privée – particulièrement celle des entreprises multinationales privées – est en elle-même infiniment plus violente que n'importe quelle action menée contre elle. On doit distinguer entre propriété privée et propriété personnelle. Cette dernière est fondée sur l'utilité alors que la première s'appuie sur le commerce. La prémisse de la propriété personnelle implique que chacun d'entre nous possède ce dont il ou elle a besoin. La prémisse de la propriété privée implique que chacun d'entre nous a quelque chose dont quelqu'un d'autre a besoin ou veut avoir. Dans une société fondée sur les droits de la propriété privée, ceux qui sont en mesure de posséder de plus en plus ce dont les autres ont besoin ou veulent avoir exercent un plus grand pouvoir et donc un plus grand contrôle – généralement pour accroître leurs profits – sur ce que les autres pensent désirer ou avoir besoin. Les partisans du « libre échange » souhaitent amener cette doctrine à sa conclusion logique : un réseau de quelques industries monopolistiques qui exerceraient un contrôle absolu sur la vie de tous. Les partisans de l'»échange équitable » voudraient voir ce processus atténué par des règlement gouvernementaux votés pour imposer quelques standards humanitaires. En tant qu'anarchistes, nous condamnons les deux attitudes. La propriété privée – et par extension le capitalisme – est violente et répressive en soi et ne peut être réformée ou atténuée. Personne ne peut être aussi libre ou aussi puissant qu'il le serait dans une société sans hiérarchie tant que le pouvoir est concentré entre les mains de quelques dirigeants d'entreprises ou détourné vers un appareil régulateur destiné à atténuer les désastres créés par ces derniers.

Quand nous brisons une vitrine, notre but est de détruire le mince vernis de légitimité dont se parent les droits de la propriété privée. En même temps, nous exorcisons ce réseau de relations sociales violentes et destructrices qui s'incarne presque partout autour de nous. En « détruisant » la propriété privée, nous convertissons sa valeur d'échange limitée en une valeur d'utilité accrue. Une vitrine de magasin devient un passage qui laisse pénétrer un peu d'air frais dans l'atmosphère oppressante d'un commerce (au moins jusqu'à ce que la police décide de gazer aux lacrymogènes une barricade voisine). Une boîte distributrice de journaux devient un outil pour libérer ce genre de passage ou constituer une petite barricade pour revendiquer un espace public ou encore pour donner l'avantage du terrain lorsque l'on se tient dessus. Une grosse poubelle sur roulettes peut servir de source de chaleur et de lumière ou encore d'obstacle à une émeute de policiers[8] en phalange. La façade d'un édifice devient un tableau d'affichage pour inscrire les idées brassées pour un monde meilleur.

Après le 30 novembre, beaucoup de gens ne regarderont plus jamais la vitrine d'un magasin ou un marteau de la même façon. On a multiplié par mille les utilisations potentielles de l'espace urbain. Le nombre de vitrines brisées n'est rien en comparaison des tabous renversés – tabous créés par l'hégémonie des corporations et destinés à maintenir nos œillères pour nous dissimuler à la fois tout le potentiel d'une société débarrassée d'elles ainsi que les violences commises au nom des droits de la propriété privée. Les vitrines cassées peuvent être placardées (en gaspillant un peu plus nos forêts) et remplacées éventuellement. Mais avec un peu de chance, ce renversement des tabous se poursuivra encore longtemps.

Contre le Capital et l'État,

LE COLLECTIF ACMÉ

POURQUOI ÉTIONS-NOUS À GÊNES?

En juillet 2001, l'assassinat du manifestant Carlo Giuliani par un policier qu'il menaçait en brandissant un extincteur a malheureusement contribué à la notoriété des manifestations contre le G8. Giuliani n'est pas la première victime des manifestations contre la mondialisation du capitalisme. Quelques semaines auparavant, les policiers avaient tiré à Göteborg des balles réelles sur la foule. Un manifestant avait succombé à ses blessures. Dans les pays en voie de développement industriel, plus de dix manifestants dénonçant le Fonds monétaire international et la Banque mondiale ont été tués par des policiers ou des militaires en 2000 et 76 en 2001[9]. *La mort de Giuliani, par sa visibilité médiatique sur le front occidental, créa toutefois une véritable onde de choc. Plusieurs se sont identifiés à la victime. Cela a provoqué des commentaires acerbes chez certains sympathisants des Black Blocs.* Le Collectif de réflexion sur l'air des lampions *note ainsi que «l'attitude des représentants de la gauche institutionnelle à propos de la violence n'est pas aussi claire qu'ils voudraient bien nous le faire croire. Ils savent faire montre, à certains moments-clés, d'une ambivalence toute teintée d'opportunisme. [...] Ils traitent les Black Blocs et les autres militants radicaux comme des lâches et des voyous irresponsables dont le but est de transformer les manifestations en émeutes. Mais dès qu'un de ces militants radicaux et anonymes est tué, son meurtre fait l'objet d'une récupération cynique: ce militant devient l'indispensable martyr de la brutalité policière et l'on explique son recours aux actions violentes en invoquant la misère sociale*[10]». *Par une sorte d'ironie du sort, Giuliani ne faisait pas partie des Black Blocs, pourtant identifiés depuis plusieurs années déjà comme les plus violents du mouvement. Ceci dit, des Black Blocs étaient présents à Gênes. Des participants d'un groupe d'affinité ont rédigé un communiqué diffusé sur Internet. Si ce texte reprend plusieurs éléments de l'argumentaire que l'on retrouvait dans les communiqués précédents émanant des Black Blocs, il se distingue toutefois par l'importance qu'il accorde au problème du patriarcat. Il souligne à deux reprises la distance que ceux et celles qui l'ont rédigé entendent observer par rapport à un idéal révolutionnaire. Ils participent toutefois clairement à l'esprit anarchiste, lorsqu'ils déclarent: «Nous ne cherchons pas à trouver une place au sein des discussions entre les maîtres du monde, nous voulons qu'il n'y ait plus de maîtres du monde.»*

(FDD)

POURQUOI ÉTIONS-NOUS À GÊNES?*

Communiqué d'un groupe affinitaire actif au sein d'un Black Bloc actif à Gênes le 20 et 21 juillet 2001

Pour mettre en pratique massivement notre contestation d'un monde que nous refusons dans sa totalité (le monde de toutes les dominations, de toutes les oppressions, de toutes les exploitations).

QU'AVONS-NOUS FAIT À GÈNES?

Nous nous sommes attaquéEs à ce qui faisait partie intégrante de la bonne marche des dominations étatiques, capitalistes et patriarcales: banques, agences immobilières, concessionnaires automobiles, stations essence, agences de voyages, panneaux publicitaires (en particulier, mais pas seulement, ceux utilisant le corps des femmes comme des vecteurs de marchandisation), etc.

* Ce texte se retrouve sur plusieurs sites Internet, dont: www.ainfos.ca ; www.cnt-2eme-ur.org; www.1lbertaire.free.fr; http://perso.cs3i.fr/do/

Nous avons ici et là empêché la police de prendre le dessus sur les manifestantEs, de façon à ce que les rues soient nôtres, soient celles de la subversion, le plus longtemps possible au cours de ces journées.

QUE VOULONS-NOUS?

Nous pensons que la mise en place d'une société dans laquelle chacunE aurait le pouvoir de diriger sa propre vie comme il/elle l'entend (ou en tout cas, une société qui le permette, une société sans hiérarchie, une société qui soit vecteur d'émancipation collective et individuelle) n'est pas envisageable sans la destruction complète des oppressions qui sont à la base des sociétés patriarcales et capitalistes occidentales. Si nous avons conscience que casser des vitrines, brûler des banques, même pour plus de cent millions de francs français de dégâts, ne révolutionnera pas le monde, nous pensons que c'est un moyen concret de déstabilisation des pouvoirs en place, et nous espérons également que cela puisse être la démonstration d'une colère qui doit se généraliser si nous voulons un jour ou l'autre vivre pleinement nos idées.

Nous ne cherchons pas à trouver une place au sein des discussions entre les maîtres du monde, nous voulons qu'il n'y ait plus de maîtres du monde. Nous ne reconnaissons aucune légitimité aux protagonistes du G8, comme nous n'en reconnaissons aucune à ceux de l'Union Européenne, de l'OMC, du

FMI, de la Banque Mondiale, etc. Les chefs d'Etats ou de multinationales sont les plus hauts responsables de la dépossession de notre propre pouvoir sur nos vies. Ce n'est pas avec eux que l'on doit discuter de nos envies et de nos désirs puisqu'ils représentent des remparts à ceux-ci.

Nous ne voulons pas une amélioration du système politique, social et économique en place, nous voulons son remplacement par un ou des systèmes de vie collective autogérés, au sein desquels chacunE a son mot à dire, dans lesquels l'entraide est le but (et non la concurrence). À notre avis, les propositions de réformes du système capitaliste mondial ne sont que de naïves illusions qui permettent à celui-ci de perdurer grace à quelques semblants de « démocratie ». Concrètement, les réformes proposées par quelques groupes politiques et/ou associatifs (taxe Tobin, revenu garanti, etc.) ne changent rien aux rapports sociaux actuels et ne font qu'accroître la soumission massive des populations aux pouvoirs politiques.

CE QUE NOS DÉTRACTEURS ONT TOUT INRÉRÊT À FAIRE CROIRE:

Que nous sommes des irrésponsables haineux-haineuses venuEs sans aucun autre objectif que «tout casser». Que nous ne sommes que des jeunes hommes en manque d'émotions fortes, de décharges d'adrénaline, etc.

Nous pourrions nous contenter de répondre qu'il y avait une présence importante de femmes dans les black blocs, mais là n'est pas vraiment le propos : au sommet du G8, il n'y avait pas beaucoup de femmes et personne n'a semblé s'en plaindre. Le propos de telles critiques est de sous-entendre qu'en dehors de la destruction de biens matériels nous n'avons rien à proposer. Pourtant, en tant que groupe d'action au sein d'un black bloc, nous avons exprimé de nombreuses idées à l'aide de bombes de peintures sur les murs de la ville, et nous en avons lu énormément, écrites par d'autres : anarchie, autonomie ouvrière, lutte des classes, autogestion, refus du capitalisme, des banques, des frontières et des Etats, du patriarcat, du sexisme, de la marchandisation des femmes, de l'homophobie et de la lesbophobie, pour la libération animale, les squats, la libération de la Palestine, l'action directe, slogans « straight-edge » (refus de l'alcool, du tabac et de toutes autres drogues), etc.

Lors de ces journées émeutières, au sein de notre groupe d'affinité, nous avons voulu fonctionner sur un mode égalitaire. Les médias, comme les grandes organisations pacifistes, nous disent « casseurs aux méthodes masculines ou militaires ». Curieusement, il y avait dans notre groupe affinitaire plus de femmes que d'hommes, et nous ne pourrions dire qui aurait pu faire office de Général... Même si beaucoup de décisions avaient à être prises rapidement, nous avons tenté d'écouter la voix de touTEs, en particulier de celles et ceux qui se sentaient le moins rassuréEs. Quant au discours pseudoféministe tentant de nous convaincre que la « casse » est une affaire d'hommes, que veut-il dire exactement ? Que la manière non-violente d'utiliser son corps est bien plus cohérente pour des antisexistes ? Etre passive et victime, douce et modérée, sont pourtant des clichés féminins contre lesquels beaucoup de femmes se battent depuis très longtemps. En tant qu'oppriméEs, notre moyen de lutter n'est pas de nous noyer encore plus dans notre misère et d'adopter un discours misérabiliste qui attendrira éventuellement l'opinion publique pendant une semaine.

Si nous avions des raisons politiques bien précises de pratiquer la destruction de biens matériels, nous ne cacherons pas que briser directement les obstacles quotidiens à notre bien-être est un sentiment jouissif. Nous n'attendons pas le Grand soir ; nous voulons dépasser les plaisirs normés et les peurs que ce vieux monde nous impose, et c'est bien parce que nous vivons dans un monde monotone et effrayant, composé de devoirs, de « droits », de supermarchés et de flics, que le détruire se doit d'être jouissif. La destruction de biens matériels est la démonstration en actes qu'il y a des problèmes politiques et sociaux. De toute façon, la « casse » est pour nous une tactique réfléchie et adaptée à la situation, elle va bien au-delà du « défouloir pour violents ». Les objets, vitrines, enseignes cassés ne sont pas pris au hasard. Ils sont ciblés en fonction de l'impact qu'ils ont sur notre vie quotidienne.

Nous les détruisons parce qu'ils sont parmi les atouts de nos sociétés « spectaculaires marchandes », parce qu'ils représentent notre propre destruction.

Que nous avons été manipuléEs, par des forces politiques «au-dessus» de nous, notamment par la police. Que nous avons été infiltréEs par la police.

Ce que nous avons fait à Gênes, nous avions prévu de le faire. Et manifestement, comme prévu, la police ne nous a pas aidé. Dès qu'elle en avait la possibilité, la police s'attaquait violemment aux black blocs. C'est grâce à des réactions tactiques, stratégiques, que nous avons pu éviter de nous faire massacrer (solidarité de groupe, jets d'objets sur la police, barricades, mobilité et mouvements de foule, etc.). Nous ne nions pas la possibilité que des policiers « déguisés » se soient infiltrés dans certains black blocs. Il semblerait logique qu'il y ait eu des policiers infiltrés dans tous les cortèges. Certains, par exemple, se faisaient passer pour des journalistes ou des ambulanciers. C'est un moyen de contrôle bien connu pour identifier et étudier les manifestantEs et leurs agissements. Par rapport à cela, notre but est bien évidemment de les repérer et de les faire dégager.

A Gênes, nous avions prévu de nous attaquer à des bâtiments représentant diverses formes de pouvoir. Nous nous sommes exécutéEs avant que de quelconques provocations policières puissent avoir lieu. Nous l'assumons entièrement et tenons à faire remarquer que si la police a bien évidemment participé directement aux violences de ces deux jours, c'est en s'attaquant aux manifestantEs, de toutes parts. La violence policière s'est exprimée massivement sur quelques km^2 à Gênes, de la même manière qu'elle le fait quotidiennement partout ailleurs. Pas besoin de manifester contre le sommet du G8 pour ça.

Que les blacks blocs, «une minorité de manifestantEs», ont gâché la fête.

Le but des manifestantEs était, pour la quasi-totalité, de rentrer dans la zone rouge, de perturber le sommet du G8. Nous avons à notre façon perturbé le sommet du G8. A Gênes, les maîtres du monde voulaient être tranquilles. Vingt mille policiers devaient leur assurer la paix sociale. Cela n'a pas fonctionné du tout puisque ces milliers de sbires n'ont pu s'empêcher de tuer une personne, d'en blesser plus de six cents, d'en arrêter et d'en torturer des centaines... Diaboliser les black blocs est très utile pour certains partis et organisations politiques, qui par contre coup sont les seuls détenteurs d'une légitimité à manifester. Mais la division manichéenne des manifestantEs en « gentilLEs pacifistes » et en « méchantEs casseurs et casseuses » ne peut que faire le jeu du pouvoir, qui n'a pourtant pas fait de détail quand il s'est agi de réprimer le plus brutalement possible. Cette division est d'autant plus incohérente lorsqu'elle provient de personnes dites de gauche, qui soutiennent certaines luttes armées comme celle au Chiapas. Est-ce que c'est parce que nous, occidentaux et occidentales, nous souffrons moins du capitalisme que d'autres et que certaines femmes sont moins ouvertement opprimées, que notre tentative d'ébrécher le système est moins légitime?

D'autre part, nous tenons à rappeler que plusieurs milliers de manifestantEs ont pris part à la destruction de biens matériels et aux affrontements avec la police, que ce soit de façon préméditée ou spontanée. Il ne s'agit pas d'une « minorité » de personnes, pas plus en tout cas que les autres cortèges n'étaient des « minorités », chaque groupe ayant sa manière d'agir.

Enfin, Bush a reproché aux manifestantEs de prétendre représenter les pauvres. Pour ce qui nous concerne, qu'il se rassure, nous ne représentons que nous-mêmes. Mais c'est déjà énorme, et plus nous serons nombreux et nombreuses à parler et à agir contre ce vieux monde, plus Bush aura de raisons de trembler au fond de sa Maison Blanche... La révolte contre ce monde n'est pas minoritaire, encore moins anecdotique, elle s'exprime partout à travers le monde, dans les écoles, les cités, les rues, etc.

(Rédigé début août 2001)

ANNEXE

CONSEILS TACTIQUES ET PRATIQUES

Cette liste de conseils tactiques et pratiques est parue dans le mensuel Le Couac, *dans son édition d'avril 2001, sous le titre «Sommet des Amériques: Les policiers sont prêts, ne les décevez pas!».*

Le 19 avril, première journée du Sommet officiel et des affrontements entre citoyens manifestants et citoyens en uniforme, de très nombreuses photocopies de cette liste avaient été colées sur les murs de la rue Saint-Jean, à Québec. Le samedi, elles avaient toutes été arrachées... Cette liste est reproduite ici car elle est révélatrice de l'état d'esprit des manifestants avant et pendant les grandes manifestations «antimondialisation».

AVANT L'ACTION

• Prévoir des plans d'action et des points de rencontre en fonction de la tournure des événements.

• Prévoir avec votre groupe d'affinité la

stratégie a adopter en cas d'arrestation (accepter de s'identifier ou non, etc.).

• Choisir une personne qui restera en retrait de l'action et qui aura en sa possession vos noms et numéros de téléphone ainsi que ceux des personnes à contacter si vous êtes arrêté.

• Peu importe ce que vous choisissez de porter pour vous protéger, soyez conscient qu'un masque à gaz, par exemple, peut intimider les autres manifestants et faire de vous une cible privilégiée pour les policiers.

PENDANT L'ACTION

• Évitez de vous retrouvez seul (si le groupe se disperse, restez en sous-groupes).

Au poste ou en prison

• En cas d'arrestation, vous n'êtes tenu que de dévoiler votre nom, date de naissance et adresse.

• Lors de l'interrogatoire, ne jamais donner d'information cocnernant d'autres personnes.

Conseils pratiques

• Si vous avez des cheveux longs, attachez-les. Cela offrira moins de prise aux policiers...

• Évitez les boucles d'oreille et autres bijoux.

• Vêtements confortables – mais pas trop amples – qui couvrent bien tout votre corps.

• Pour vous protéger les yeux contre le poivre de Cayenne et les gaz lacrymogènes, portez des lunettes de ski ou de natation avec lentilles anti-buée et un foulard imbibé de vinaigre. Le masque à gaz offre tout de même une meilleure protection.

• Portez des gants si vous voulez relancer aux policiers les cannettes de gaz lacrymogène ou de poivre de Cayenne qu'ils vous auront généreusement lancés les premiers...

• Inscrivez les numéros de téléphone importants (avocats, maman, etc.) sur votre bras à l'encre indélibile.

• Dans les poches: de la monnaie pour téléphoner ou prendre l'autobus. À éviter: votre canif et votre drogue (vous ne voulez tout de même pas que les policiers fument votre « stock »).

• Choisissez des souliers confortables. Vous pourriez avoir à courir; laissez vos talons hauts chez vous!

Sac à dos

• Nourriture: prévoyez un gouté à haute teneur en énergie (barres tendres, noix, etc.). Beaucoup, beaucoup d'eau!

• Vêtements de rechanges (si vous avez été aspergé au poivre de Cayenne ou au gaz lacrymogène) et peut-être un imperméable.

• Papier et crayon.

• Prévoyez des serviettes sanitaires et des tampons (rappelez-vous qu'en prison, vous ne pourrez pas aller aux toilettes quand vous voulez; privilégiez les serviettes).

• Trousse de premiers soins: bandages, bandelettes de gaze, pansements adhésifs, comprimés contre la douleur et les maux de tête. Si vous devez prendre des médicament (diabète, asthme, etc.) assurez-vous d'en avoir en quantité suffisante.

Si vous êtes aspergés de poivre de Cayenne ou de gaz lacrymogène

• Avant: Lavez vos vêtements, cheveux et peau avec du savon biodégradable (sans produit chimique). Évitez tout type de crème hydratante et lotion.

Pendant: Rincez les yeuxl avec la solution d'eau et Maalox, du coin intérieur de l'oeil vers l'extérieur, la tête en arrière et légèrement tournée du côté de l'œil à rincer. Si vous portez des lentilles cornéennes, faites-les enlever immédiatement par une perosnne qui n'a pas été aspergée. Pour la bouche, crachez, ne pas avaler, se moucher, rincer avec de l'eau ou avec la solution d'eau et de Maalox.

Après: Prenez une douche tiède et lavez tous vos vêtements avec du détergent à lessive non biodégradable. Pour les yeux et la bouche: solution à base d'eau et de liquide anti-acide (Maalox) que vous devrez mélanger dan sune bouteille dans une proportion 1/1.

NOTES

PENSER L'ACTION (PP. 9-70)

1. Barbara Michaud, « L'anarchisme n'est pas un individualisme : l'exemple des *squats*», *Argument*, vol. 3, n° 1, 2000, p. 110-115.

2. Cette histoire de l'origine des Black Blocs s'inspire largement de George Katsiaficas, *The Subversion of Politics: European Autonomous Social Movements and the Decolonization of Everyday Life*, New Jersey, Humanities Press International Inc., 1997. Voir aussi la section « Movement use of violence », dans le chapitre 5du livre d'Anders Corr, *No Trespassing: Squatting, Rent Strikes, and Land Struggles Worldwide*, Boston, Southend Press, 1999.

3. Charles Tilly, « Les origines du répertoire d'action collective contemporaine en France et en Grande-Bretagne », *Vingtième siècle*, n° 4, octobre 1984, p. 89-108, et Doug McAdam et Dierter Rucht, « The Cross-National Diffusion of Movement Ideas », *Annals of the American Academy of Political and Social Sciences*, n° 528, juillet 1993, p. 56-74.

4. Par exemple, des membres de la section torontoise du ARA se rendront à Montréal pour y participer à une manifestation, le 22 septembre 1993, contre la venue au Québec de deux maires du Front National français, plus ou moins formellement protégés par une trentaine de skinheads néo-nazis.

5. Entrevue réalisée par l'auteur à Montréal, en septembre 2002, avec BB2 : un jeune homme (début vingtaine) ayant participé à plusieurs Black Blocs : marche

du 1er mai 2000 à Westmount (quartier cossu de Montréal), contre une réunion du G20 à Montréal, novembre 2000, contre le Sommet des Amériques à Québec, avril 2001.

6. Selon une estimation de BB3, une femme de 23 ans ayant participé à plusieurs Black Blocs : contre une réunion du G20 à Montréal, novembre 2000, contre la brutalité policière à Montréal, 15 mars 2001, contre le Sommet des Amériques à Québec, en avril 2001 (entrevue réalisée par l'auteur à Montréal en décembre 2002).

7. <www3.sympatico.ca/emile.henry/eh.htm>. Voir aussi : Daniel Colson, *Petit lexique philosophique de l'anarchisme de Proudhon à Deleuze*, Paris, Librairie générale française, coll. Livre de poche, 2001, p. 21 ; Stuart Christie, *We, the Anarchists! A Study of the Iberian Anarchist Federation (FAI) 1927-1937*, Angleterre-Australie, Meltzer Press-Jura Media, 2000, p. 28-30 ; George R. Esenwein, *Anarchist Ideology and the Working-Class Movement in Spain 1868-1898*, Berkeley, University of California Press, 1989, p. 131-133 ; Sébastien Faure, « Affinité », in S. Faure (dir.), *Encyclopédie anarchiste*, vol. I, Paris, La Librairie Internationale, 1934, p. 25-26 ; Jerome R. Mintz, *The Anarchists of Casas Viejas*, Bloomington et Indianapolis, Indiana University Press, 1994, p. 139-140.

8. En cela, les Black Blocs s'inscrivent dans la mouvance du radicalisme nord-américain, très sensible aux revendications des féministes radicales.

9. Voir, par exemple, Pierre Kropotkine, *La conquête du pain*, Antony (France), Éditions Tops-H. Trinquier, 2002 (1890).

10. Repris dans ce livre.

11. Entrevue réalisée par l'auteur avec BB2.

12. Voir David Graeber, « The new anarchists », *New Left Review*, vol. 2, n° 13, janvier-février 2002, p. 66-68.

13. Ward Churchill, *Pacifism as Pathology: Reflections on the Role of Armed Struggle in North America*, Winnipeg, Arbeiter Ring, 1998, p. 41-44.

14. Yves Michaud, *La Violence*, Paris, Presses Universitaires de France, 1988 (2e éd.), p. 63-64 ; David

E. Apter, « L'apothéose de la violence politique », Thomas Ferenczi (dir.), *Fait-il s'accommoder de la violence?*, (trad. de l'anglais par S. Gleize), Paris, Complexe, 2000, p. 289; Solomon Lipp, « Reflections on social and political violence », Actes du IIe congrès mondial de l'ASEVICO, *Violence et coexistence humaine*, Montréal, Montmorency, 1995, vol. 2, p. 68 et 70; Jean-Claude Chesnais, *Histoire de la violence*, Paris, Robert Laffont, 1981, p. 335.

15. Entrevue réalisée par l'auteur avec BB2.

16. On voit un même processus de réflexion à l'œuvre dans la décision de squatters européens de passer à des moyens de lutte plus musclés, dans la section « Movement use of violence », dans le chapitre 5 du livre d'Anders Corr, *No Trespassing: Squatting, Rent Strikes, and Land Struggles Worldwide*, Boston, Southend Press, 1999.

17. Sans être anarchiste, c'est aussi ce qu'affirme la philosophe politique Hannah Arendt dans *Du Mensonge à la violence*, (traduit de l'anglais par Guy Durand), Paris, Calmann-Lévy, 1972, p. 53-104.

18. Entrevue réalisée par l'auteur à Montréal avec BB2.

19. Voir, à cet égard, la fin du *Communiqué sur les tactiques et l'organisation*, repris dans ce livre.

20. Voir, dans ce livre, le *Communiqué d'un groupe affinitaire actif au sein d'un Black Bloc lors de la journée d'actions et de la manifestation des 20 et 21 juillet à Gênes.*

21. Entrevue réalisée par l'auteur avec BB3.

22. Au sujet des actions radicales et même violentes et les cycles de réformes qu'elles peuvent entraîner, voir le chapitre 5 du livre d'Anders Corr, *No Trespassing: Squatting, Rent Strikes, and Land Struggles Worldwide*, Boston, Southend Press, 1999.

23. Entrevue réalisée par l'auteur avec BB3.

24. Entrevue réalisée par l'auteur avec BB2.

25. Entrevue réalisée par l'auteur à Montréal, en septembre 2002, avec BB1 : un jeune homme de 20 ans ayant participé aux Black Blocs lors de la marche du 1er mai 2000 à Westmount, contre une réunion du G20 à Montréal (novembre 2000), contre le Sommet des Amériques à Québec (avril 2001) et en marge du Sommet des peuples à Porto Alegre (hiver 2001).

26. Nicolas, du Barricada Collective, « The Black Bloc in Quebec : An Analysis », dans David et X (du Green Mountain Anarchist Collective) (dir.), *The Black Blocs Papers*, Baltimore, Black Clover Press, 2002, p. 193 (ma traduction ; il existe une autre version française intitulée « Le Black Bloc à Québec : Une analyse » <www.cnt-2emeur.org/HTML/DOSSIERS/Blackbloc/BBinquebectrad.html>).

27. Voir Lyn Gerry, « Linguistic analysis of the Black Bloc Communique : Refutation of the claims that the N30 Black Bloc communique is "proof" that they are agents provocateurs" » (<www.infoshop.org>) et « Gênes : police infiltrée par le black bloc ou le contraire », signé : Guerre de klasses et bande passante (<www.ainfos.ca>) ; Raphaël Gardel, « G8 : nazis dans la manif », (<www.amnistia.net>) ; et d'autres textes sur le site <www.notbored.org>.

28. Susan George et Martin Wolf, *La Mondialisation libérale*, Paris, Bernard Grasset-Les Échos, 2002, p. 166 (je souligne).

29. Entrevue réalisée par l'auteur avec BB2. Au sujet des agents infiltrateurs et provocateurs de la police, et même de tactiques policières, voir Olivier Fillieule, *Stratégies de la rue: Les manifestations en France*, Paris, Presses de sciences po, 1997, p. 340-352, ainsi que J.-P. Brunet, *La police de l'ombre: Indicateurs et provocateurs dans la France contemporaine*, Paris, Seuil, 1990 ; G.T. Marx, « Thoughts on a neglected category of social movement participant : the agent provocateur and the informant », *American Journal of Sociology*, n° 80, 1974, p. 404-429 (dont une version préliminaire est parue en français dans la revue *Sociologie du travail*, vol. 3, juillet-septembre 1973) ; Victor Serge, *Ce que tout révolutionnaire doit savoir de la répression*, Paris, Maspero, 1977 (1925), p. 9-32 ; et une entrevue très révélatrice d'un policier infiltré dans les milieux « autonomes » européens, parue dans *Le Nouvel Observateur*, 23 janvier 1983.

30. Pour un bon exemple de cette tactique policière, voir la photo accompagnant le texte de Raymond Gervais et Sébastien Rodrigue, « Manifestation antimondialisation : La police exhibe le matériel saisi hier », *La Presse*, 28 avril

2002 (repris sur le site Internet <www.cyberpresse.ca>).

31Il s'agit là d'une pratique policière très courante à l'égard des groupes politiques radicaux. Lors des manifestations contre la Banque mondiale et le Fonds monétaire internationale à Washington, D.C., les 16 et 17 avril 2000, les policiers avaient déclaré avoir saisi au Centre de convergence des manifestants des cocktails Molotov et du matériel pour fabriquer du poivre de Cayenne. Ils ont admis par la suite qu'il s'agissait, dans le premier cas, de bouteilles de plastique et, dans le second cas, d'ingrédients pour préparer une soupe gazpacho. En 2002, lors de manifestations organisées dans la même ville contre les mêmes institutions internationales, les policiers ont affirmé avoir saisi des bombes qu'auraient transportées des manifestants. Le lendemain, les policiers ont admis qu'il n'y avait aucune bombe. Les policiers pratiquent ce type de manipulation pour exagérer la menace que représentent les manifestants et justifer des arrestations de masse (souvent de plusieurs centaines de manifestants). Lorsqu'ils reviennent devant les médias pour rectifier leur version des faits, l'intérêt pour l'évènement a déjà diminué et les journalistes accordent peu d'attention à cette nouvelle information (voir à ce sujet: Paul Rosenberg, « The Empire Strikes Back: Police Repression of Protest From Seattle to L.A. », <http://r2kphilly.org/pdf/empire-strikes.pdf>).

32. Voir, au sujet d'une manifestation à Londres où les policiers ont chargé très brutalement les manifestants: Steve Reicher, « The Battle of Westminster: Developing the social identity model of crowd behaviour in order to deal with the initiatons and development of collective conflict », *European Journal of Social Psychology*, vol. 26, 1996, p. 115-134, et Steve Reicher, John Drury, Nick Hopkins et Clifford Stott, « A model of crowd prototypes and crowd leadership », in Colin Barker, Alan Johnson et Michael Lavalette (dir.), *Leadership and Social Movements*, Manchester, Manchester University Press, 2001.

33. Michel Foucault, «*Il faut défendre la société*» [Cours au Collège de France: 1975-1976], Paris, Gallimard-

Seuil, 1997.

34. Gaston Deschênes, « Présentation », in G. Deschênes, *Une capitale éphémère: Montréal et les événements tragiques de 1849*, Montréal, Cahiers du Septentrion, n° 13, 1999.

35. Voir l'évangile selon Marc, 11, 15-18.

36. Je m'inspire ici librement du texte d'Adreba Solneman, « Du 9 janvier 1978 au 4 novembre 1979 », repris dans *La naissance d'une idée*, vol. 2 « Téléologie moderne », Paris, Belles émotions, 2002, p. 56.

37.Entrevue réalisée par l'auteur à Montréal, en mars 2002, avec GA2 : un homme d'environ 20 ans, membre d'un groupe d'affinité ayant parfois recours à la force et ayant participé à plusieurs manifestations au Québec, dont celles contre le Sommet des Amériques, en avril 2001.

38. Entrevue réalisée par l'auteur avec BB2 (je souligne).

39.Voir, dans ce livre, le *Communiqué d'un groupe affinitaire actif au sein d'un Black Bloc lors de la journée d'actions et de la manifestation des 20 et 21 juillet à Gênes* (je souligne).

40David Graeber, « The new anarchists », New Left Review, vol. 2, n° 13, janvier-février 2002, p. 65, note 3 (ma traduction).

41»Voir, dans ce livre, le *Communiqué d'un groupe affinitaire actif au sein d'un Black Bloc lors de la journée d'actions et de la manifestation des 20 et 21 juillet à Gênes.*

42. Entrevue réalisée par l'auteur avec BB1.

43. Entrevue réalisée par l'auteur avec BB3.

44. Herbert Marcuse, *Vers la libération*, Paris, Minuit, p. 91 ; Marcuse, « Le problème de la violence dans l'opposition », in H. Marcuse, *La fin de l'utopie*, p. 49 ; Hannah Arendt, *Du Mensonge à la violence*, Paris, Calmann-Lévy, 1972, p. 53-104 ; Mario Turchetti, *Tyrannie et tyrannicide de l'Antiquité à nos jours*, Paris, Presses Universitaires de France, 2001.

45. Entrevue réalisée par l'auteur avec BB2.

46. Graffitis vus lors du Sommet des Amériques à Québec, en avril 2001.

47. Cité dans « Veerhofstadt et Prodi déplorent la mort d'un manifestant à Gênes », AFP, 20 juillet 2001 (texte non-signé).

48. Frédéric Garlan, « Les Huit de se laisseront pas intimider par les casseurs », AFP, 23 juillet 2001.

49. Christian Spillmann, « Gênes : Violences, discorde, les dirigeants du G8 n'ont pas de quoi pavoiser », AFP, 22 juillet 2001.

50. Dominique Lagarde, Philippe Gite, Blandine Milcent, Éric Pelletier et Quentin Rousseau, « Black blocs : Les casseurs de l'antimondialisation », *L'Express*, 6 septembre 2001 (je souligne).

51. Ce manuel est reproduit et étudié dans : *Le Manuel de la CIA: La politique d'intervention des États-Unis au Nicaragua*, Bruxelles, éditions EPO. On le retrouve également sur Internet : <www.xoasis.com/~parazite/cia.html>.

52. Pierre Celerier, « Les manifestants contre le FMI jouent au chat et à la souris avec la police », AFP, 16 avril 2000 (je souligne).

53. « Manifestation pacifique de plus de 30000 personnes dans les rues de Québec », AFP, 21 avril 2001 (texte non-signé).

54. Pierre Celerier, « Les manifestants contre le FMI jouent au chat et à la souris avec la police », AFP, 16 avril 2000.

55. « Affrontements entre policiers et manifestants en marge du sommet de Goeteborg », *Le Monde*-AFP, 15 juin 2001.

56. Voir mon texte « L'esprit antidémocratique des fondateurs de la " démocratie " moderne », *Agone*, 1999, n° 22, p. 95-113 et *The Political Power of Words: "Democracy" and Political Strategies in the United States and France (1776-1871)*, Vancouver : département de science politique, University of British Columbia, 2001.

57. Saul K. Padover (dir.), *The Complete Jefferson*, New York :Duell, Sloan & Pearce inc., 1943, p. 1276 (ma traduction).

58. Cité dans Bernard Bailyn, *The Ideological Origins of the American Revolution*, Cambridge (MA), Belknap

Press of Harvard University Press, 1967, p. 282, note 50 (ma traduction).

59. Max Farrand (dir.), *The Records of the Federal Convention of 1787*, vol. I, New Haven, Yale University Press, 1966, p. 288 et 432.

60. *Ibid.*, p. 51.

61. François Furet et Ran Halévi (dir.), *Orateurs de la Révolution française*, vol. I, Paris, Gallimard, 1989, p. 54.

62. Timothy Tackett, *Becoming a Revolutionary: The Deputies of the French National Assembly and the Emergence of a Revolutionary Culture (1789-1790)*, Princeton, Princeton University Press, 1996, p. 105.

63. Michelle Malkin, « Invasion of the Anarchists: The "Anti-Capitalist Convergence" », *Capitalism Magazine*, 2 février 2002, <www.capitalismmaga zine.com>.

64. *Figaro-Magazine* du 6 octobre 2001.

65. Entrevue réalisée par l'auteur à Montréal, au mois de mars 2002, avec GA1 : un homme d'environ 20 ans, membre d'un groupe d'affinité (le même que celui dont est membre GA2) ayant parfois recours à la force et ayant participé à plusieurs manifestations au Québec, dont celles contre le Sommet des Amériques, en avril 2001.

66. Donatella della Porta et Sidney Tarrow, « After Genoa and New York: The Antiglobal movement, the police and terrorism », *SSRC*, hiver 2001.

67. Propos cités dans l'article de Valérie Dufour, « Les policiers tenus en haleine tout le week-end: Les militants repartent satisfaits », *Le Devoir*, 23 avril 2001, p. A3.

68. Susan George et Martin Wolf, *La Mondialisation libérale*, Paris, Bernard Grasset-Les Échos, 2002, p. 159 (je souligne).

69. Cité par Christian Losson et Paul Quinio, *Génération Seattle: Les rebelles de la mondialisation*, Paris, Grasset, 2002, p. 156 (je souligne).

70. *Ibid.*, p. 166.

71. Yves Michaud, *La Violence*, Paris, Presses Universitaires de France, 1988 (2e éd.), p. 48-52.

72. Susan George et Martin Wolf, *La Mondialisation libérale*, Paris, Bernard Grasset-Les Échos, 2002, p. 167 (je souligne).

73. *Ibid.*, p. 166.

74. Christian Spillmann, « Gênes : Violences, discorde, les dirigeants du G8 n'ont pas de quoi pavoiser », AFP, 22 juillet 2001.

75. Christophe Aguiton, « Quelques éléments pour la discussion après Gênes », 11 août 2001, <www.lemaquis.ouvaton.org/article.php3id_article=122> (je souligne).

76. Propos prononcés en conférence de presse et reproduits dans le documentaire radiophonique d'Alain Chénier et France Émond, « La répression atteint un sommet à Québec », radio CIBL (Montréal), 23 avril 2001, ainsi que dans le film *Zones grises* de David Nadeau et Nicolas Bélanger, Québec, productions Hoboygays et Paysdenvie, 2002 (je souligne).

77. Ce qui n'est certes pas le cas des Black Blocs qui déclarent : « Nous ne cherchons pas à trouver une place au sein des discussions entre les maîtres du monde, nous voulons qu'il n'y ait plus de maîtres du monde » (voir le *Communiqué de Gênes*). Cette dynamique, par laquelle les acteurs politiques cherchent à paraître respectables aux yeux de l'État est mise en lumière par des analystes des mouvements sociaux qui expliquent que tout « régime politique officiel établit implicitement une liste des acteurs politiques qui ont le droit d'exister, d'agir, d'exprimer des revendications et/ou d'obtenir sur une base routinière des ressources que le gouvernement contrôle » (Doug McAdam, Sidney Tarrow et Charles Tilly, *Dynamics of Contention*, Cambridge, Cambridge University Press, 2001, p. 146 et 147 [ma traduction]).

78. Yves Michaud, *La Violence*, Paris, Presses Universitaires de France, 1988 (2e éd.), p. 65.

79. Michel Barillon, *ATTAC, encore un effort pour réguler la mondialisation!?*, Castelnau-le-Lez, Climats, 2001.

80. Isabelle Sommier, « Paradoxes de la contestation : La contribution des services d'ordre syndicaux à la paci-

fication des conflits sociaux », Actes du IIe congrès mondial de l'ASEVICO, *Violence et coexistence humaine*, vol. IV, Montréal, Montmorency, 1995, p. 333. Voir aussi : Dominique Cardon et Jean-Philippe Heurtin, « Chapitre 3 : "Tenir les rangs". Les services d'encadrement des manifestations ouvrières (1909-1936) », Pierre Favre (dir.), *La manifestation*, Paris, Presses de la fondation nationale des sciences politiques, 1990, p. 123-155.

81. Cité dans : *Le Journal de Montréal*, 22 avril 2001.

82. Stéphane Batigne, « J'ai joué le jeu de la manifestation », *Le Devoir*, 24 avril 2001.

83. Patrick F. Gillham et Gary T. Marx, « Complexity & irony in policing and protesting : the World Trade Organization in Seattle », *Social Justice*, vol. 27, n° 2, 2000, p. 212-236 (texte également disponible sur le site Internet du professeur Gary T. Marx du Massachusetts Institute of Technology : <http ://web.mit.edu/gtmarx/www/seattle.html>).

84. J. A. Frank, « La dynamique des manifestations violentes », *Revue canadienne de science politique*, vol. 17, n° 2, juin 1984, p. 325-349.

85. Cité dans John D. McCarthy et Clark McPhail, « L'institutionnalisation de la contestation aux États-Unis », *Les Cahiers de la sécurité intérieure*, n° 27, 1er trimestre 1997, p. 16, et repris par J. A. Frank, *Ibid.*, p. 349.

86. Voir le site Internet : <www.wdm.org.uk> et chercher les documents « States of Unrest I » et « State of Unrest II ».

87. Une photo confirmant ce type de violence est parue dans le journal *La Presse*, illustrant l'article du journaliste Charles Côté (« Une marche pacifique, malgré les chiens », 18 novembre 2001, p. A3) qui révèle que plusieurs manifestants et même un cameraman du réseau de télévision privé TVA ont été mordus.

88. Voir le film *Vue du Sommet*, de Magnus Isaacson, Office National du Film, Canada, 2001.

89. Martin Pelchat, « "Ce ne sont pas les grands voiliers..." : La sécurité coûtera plus de 70 millions », *La*

Presse, 14 avril 2001, p. B2.

90. Donatella della Porta et Sidney Tarrow, « After Genoa and New York : The Antiglobal movement, the police and terrorism », *SSRC*, hiver 2001.

91. Texte d'accueil sur le site Internet de la firme Police Ordnance, le 25 septembre 2002 (<www.police ordnance.com>).

92. « S'inspirant des *anarchistes* qui ne juraient que par l'" action directe ", les manifestants de l'an 2000 emploient une foule de nouvelles méthodes qui ajoutent une dimension plus complexe aux activités de protestation » (source : document du SCRS n° 2000/08. <www.csis-scrs.gc.fa/miscdocs/200008_f.html> [je souligne] ; voir aussi le *Rapport public de l'an 2000* [<www.csis-scrs.gc.fa/publicrp/pub2000_f.html>]).

93. N° de document 5712/1/02 ENFOPOL 18 (je souligne). Aux États-Unis, le FBI identifiait les militants anarchistes comme d'éventuels terroristes « intérieurs » dans un rapport public du 10 mai 2001 déposé devant des comités du Sénat. Ceci dit, le terrorisme international, plus particulièrement de source islamiste, devient l'année suivante la priorité du FBI et les quelques lignes sur les anarchistes qui apparaissent dans le rapport 2001 sont simplement recopiées – sans aucun ajout – dans le rapport de 2002 (Louis J. Freeh, directeur du FBI, *Threat of Terrorism to the United States*, rapport déposé le 10 mai 2001 devant le comité sénatorial sur l'»Intelligence » et Dale L. Watson, assistant exécutif au directeur du FBI, *Threat of Terrorism to the United States*, rapport déposé le 6 avril 2002 devant le comité sénatorial sur l'« Intelligence » [source Internet : <www.fbi.gov>]).

I. LES BLACK BLOCS PAR EUX-MÊMES (pp. 73-138)

1. Ailleurs sur Internet, on trouve ces précisions concernant la tactique de dé-arrestation : « Le militantisme traditionnel qui pratique la désobéissance civile a développé une routine très développée lorsqu'il est question de se faire arrêter par la police. Nous avons même vu des cas de désobéissance civile se transformer

en OBÉISSANCE civile, alors que des militants négociaient avec la police et lui demandant comment procéder pour se faire arrêter. Inutile de dire que ce n'est pas tous les participants à une manifestation qui veulent être arrêtés. Considérant la propension de la police à arrêter les miliants et militantes pour des raisons arbitraires – traverser la rue au mauvais endroit, manifester sans permi, porter des cagoules –, il est nécessaire de développer une technique qui permette de garder les militantes et militants hors de prison. Dé-arrêter des militants et militantes est très simple : quand un manifestant est arrêté, le bloc d'anarchiste agit sans tarder pour sortir la personne des griffes de la police. Quelques fois, il faut être prêt à provoquer une bousculade pour libérer le manifestant. Mais si vous bénéficiez de l'effet de surprise, vous pouvez généralement agir avec succès car les policiers et policières sont surpris par des militants et des militantes qui ne jouent selon les règles du jeu (c'est-à-dire en négoçiant leur propre emprisonnement). Dé-arrêter fonctionne dans deux situations : (1) lorsqu'il y a seulement quelques policiers voulant arrêter de nombreux manifestants ; (2) lorsque le bloc libérateur surpasse la police en nombre par un ratio de 3/1 ou plus. Il est important de garder à l'esprit que dé-arrêter est un acte illégal. Ne vous faîtes pas arrêter en tentant de dé-arrêter quelqu'un car vous pourriez faire face à des accusations sérieuses. Il est important d'évaluer les avantages de dé-arrêter une personne (bien qu'il soit difficile de garder la tête froide au coeur de l'action). Évidemment, dé-arrêter quelqu'un est plus important si celui-ci a commis un acte qui pourrait entrainer des accusations criminelles. Jouez-donc pour gagner ! » (source : www.infoshop.org/texts/bb_tactics.html [traduction : FDD]).

2. www.angelfire.com.

3. La première version date de décembre 2000. Elle est signée par le Collectif Anarchiste de Green Mountain, David O. (O Van), X, J.M, Natasha « quelque part dans les Green Mountains ». Elle circulait sous forme de brochure, sans mention d'éditeur. On pouvait

notamment l'obtenir en septembre 2001 chez Bound Together Bookstore-An Anarchist Collective : 1369 Haight, San Francisco)

4. ARA : Anti-Racist Action ; G-MAC : Green Mountains Anarchist Collective.

5. Le texte est écrit en décembre 2000.

6. Le 16 avril 2000, manifestation à Washington D.C. contre le Fonds monétaire international et la Banque mondiale.

7. Manifestations de Gênes contre le G8 en juillet 2002.

8. Manifestations à Québec contre le Sommet des Amériques en avril 2001.

9. Dans le cas du Sommet de Québec en avril 2001, le groupe Germinal avait été infiltré plusieurs mois à l'avance par deux agents provocateurs et des membres du groupes en route pour Québec en provenance de Montréal ont été arrêtés au volant de leur voiture trois jour avant le début du Sommet. Les agents provocateurs avaient fournis aux militants du matériel de l'armée canadienne – thunderflash et grenades fumigènes – que les policiers saisirent dans la voiture appréhendée. Le mercredi, soit deux jours avant le Sommet, les policiers avaient tenu une conférence de presse suite à cette arrestation, qui du coup justifiait les mesures de sécurité et discréditaient les manifestants avant même le début des manifestations.

10. Au Canada, la Gendarmerie royale (GRC), le Service canadien de renseignement de sécurité (SCRS) et l'unité de surveillance de l'armée gardent à l'œil les organisations associées de près ou de loin au mouvement d'opposition à la mondialisation du libéralisme. La GRC a ainsi mis sur pied en mai 2001 un Programme d'ordre public qui a pour fonction d'échanger des renseignements avec d'autres corps policiers (et de tester des armes « nonmortelles », tel le poivre de Cayenne, les gaz lacrymogènes, les balles de plastique, etc.). Parmi les groupes sous observation, on retrouve : Amnistie Internationale, Greenpeace, l'Église anglicane et les Raging Grannies, une chorale de vieilles dames qui se joignent aux manifestations pour scander des

chansons dénonçant les injustices sociales (*Le Devoir*, 20 et 21 août 2001). On ne s'étonnera donc pas si d'éventuels participants aux Black Blocs soient sous surveillance... D'ailleurs, lors du procès des membres du groupe Germinal épinglés avant le Sommet de Québec en avril 2001, le procureur de la Couronne a fait témoigner deux agents provocateurs qui avaient infiltré le groupe. En Europe, au début de 2002, le groupe de travail « terrorisme » du Conseil de l'union européenne a associé au « terrorisme » certains actes commis lors des manifestations d'opposition à la mondialisation du libéralisme, sous prétexte qu'elles « terrorisent » la population (no. doc. 5712/1/02-Enfopol 18).

11. Il s'agissait plutôt de négociations en vue d'une signature en 2005.

LES BLACK BLOCS EN DÉBAT (pp. 139-184)

1. Pour une introduction à ce modèle économique, voir : Normand Baillargeon, *Les Chiens ont soif. Critiques et propositions libertaires*, Montréal, Comeau & Nadeau (LUX), 2001, p. 163-178.

2. Voir le *Communiqué du collectif-ACME* reproduit dans ce livre.

3. C'est précisément la tactique qu'adoptèrent, du moins en partie, les Black Blocs à Washington D.C. et à Québec .

4. Sans doute une pointe ironique décochée à l'intention de la section « ACME » du Black Bloc de Seattle, qui a rédigé et diffusé un communiqué justifiant les attaques contre la propriété privée (voir le texte reproduit dans ce livre).

5. Groupe terroriste de jeunes américains blancs actifs vers 1970. Les membres étaient issus de groupes radicaux non-terroristes tels que le *Students for a Democratic Society*.

6. Voir sur Internet :
www3.sympatico.ca/emile.henry/blacbloc.htm

8. L'expression anglaise est « rioting cops », ou « policiers menant une émeute », qui évoque le concept

d'»émeute policière».

9. Voir le site Internet <www.wdm.org.uk>, au chapitre des documents «States of Unrest I» et «State of Unrest II».

10. Collectif de réflexion sur l'air des lampions, «Le faux débat sur la violence dans les manifestations anti-globalisation», <www.ainfos.ca> et <www.bibliolib.net>.

TABLE